РИНАТ
ВАЛИУЛЛИН

Ринат
Валиуллин

В каждом молчании своя
ИСТЕРИКА

Издательство АСТ
Москва

УДК 821.161.1-31
ББК 84(2Рос=Рус)6-44
В15

Художественное оформление серии —
Екатерина Ферез

В книге использованы рисунки автора —
Ринат Валиуллин

Валиуллин, Ринат Рифович.

В15 В каждом молчании своя истерика : [роман] / Ринат Валиуллин. — Москва : Издательство АСТ, 2019. — 320 с. — (Антология любви).

ISBN 978-5-17-100040-0

Петербург. История одной дружбы, двух предательств, трех желаний и четырех углов, где мечет икру любовь. Все началось с того, что она сидела перед ним, перелистывая свои бесконечные ноги, а он, еще ни разу не читавший таких интересных книг, не знал, с какой страницы начался этот роман. Роман, в котором дружба, выдержанная годами в сосуде взаимопонимания, медленно оплеталась гибкой лозой любви до тех пор, пока стекло не треснуло и изнутри не брызнула горячая кровь мести и ненависти.

УДК 821.161.1-31
ББК 84(2Рос=Рус)6-44

ISBN 978-5-17-100040-0

Стоит быть богом, хотя бы для того, чтобы верили.

* * *

Перед прыжком я на автомате проверил подвесную, карабины и как руки дотягиваются до систем основного и запасного парашютов. Потом оглянулся и посмотрел на Антонио. Он нервничал и, отводя глаза, хлопнул мне по груди дважды ладошкой. Губы мои нарисовали в воздухе «с Богом», в следующую секунду я решительно шагнул в открытый воздух, который, пытаясь подхватить меня, быстро разогнал до пятидесяти метров в секунду. Раскинув в стороны руки и ноги, будто пытаясь объять необъятное, я радовался птицей и любовался пейзажем внизу, который тоже спешил ко мне навстречу. Всеми своими клетками я ощущал, насколько тот притягателен. Земля хотела обнять меня. Я уже предвкушал то самое острое ощущение, когда должен раскрыться парашют и тело мое зависнет в тишине, достигнув терминальной скорости, когда я смогу просто лечь на поток воздуха. Свист тишины в ушах превратился в один сплошной крик неба, когда яркая лампочка солнца неожиданно осветила в памяти истошный вопль маленькой Фортуны в испанском парке «Авентура» и ее лицо, искаженное капризом. Девочка непременно желала получить желтого цыпленка, которого я только что случайно выиграл в одном из аттракционов. Из ее чистых глаз катились отборные слезы.

— На! Воспитывай! — недолго думая, протянул я девочке игрушку. Та обняла ее, засветилась, и цыплят стало двое. Антонио, ее отец, в знак благодарности протянул мне открытую бутылку «испанской крови». Я глотнул вина, и мы двинулись к выходу. К жаркому солнцу на небе, от которого сильно хотелось спрятаться в тень или в море, прибавилось еще одно: Фортуна порхала от счастья впереди нас, мы втроем: я, Антонио и его жена Лара — брели, оплавленные жарой и вином, сзади. Тем летом я отдыхал с семьей моего лучшего друга на побережье Средиземного моря. В то время как мы разлагались на пляже, жена моя с сыном осталась дома. Несмотря на осень, климат в Испании в это время мне показался гораздо приятнее, чем в семье. Я видел разные семьи — счастливые и не очень, многочисленные и неполные, богатые и с низким уровнем жизни, с террасами для вдохновения и с тесными кухнями, где пространство было заставлено квартирными вопросами, — моя семья была без удобств. Причина, конечно же, лежала во мне. Она жила во мне своей личной жизнью и диктовала свои требования, она играла ту самую главную роль любой причины: причинять неудобства.

Номер в отеле был однокомнатный с балконом, с видом на соседний отель. Две двуспальные кровати и раскладушка. Я сразу же занял раскладушкой балкон, там и проводил все ночи под настольной лампой луны и скрипичную симфонию сверчков. После ужина в отеле Антонио и Лара, словно по договоренности, уединялись в номере, а мы с шестилетней Фортуной шли изучать окрестности, пройдя сквозь лавку, где я покупал для нее сладости, себе — бутылочку красного и хамон.

— Сегодня мы пойдем вот к той горе, видишь? — указал я ей рукой, когда мы вышли с Фортуной к побережью, которое переливалось праздными огоньками фламенко. Потом откупорил бутылку, понюхал и сделал хороший глоток. Красная магия враз погасила внутривенную жажду.

— На которой огни? — Девочка все еще надеялась, что я передумал.

— Да.

— Фу ты, так далеко. А она сама не может к нам подойти?

— Будь ты Мухаммед, она бы подошла, — взял я ее за руку.

— А это кто?

— Пророк.

— Пророк — это тот, кто предсказывает? — не останавливался поток ее мыслей.

— Да.

— Значит, как мой дедушка. Он тоже любит предсказывать футбол и погоду.

— Ну и как?

— По-разному, — сжала Фортуна крепче мою ладонь.

Мы шли медленно, наматывая на свои ноги набережную, которая, казалось, была бесконечна. Несмотря на быстро сползающие сумерки, народу на побережье не убавлялось. Люди шли, зеркально-заинтересованные своим отдыхом, и в одну, и в другую сторону. Фортуна уже отцепилась от моей руки и весело скакала по плиткам дорожки, наступая на избранные, то и дело подбегая ко мне за новой конфетой. Потом снова исчезала, позвякивая розовым рюкзачком. Я протягивал ей кулек, из которого она вылавливала очередную порцию допинга, и удалялась. Я же прикладывался к стеклу бутылки, делая небольшие глотки прекрасного испанского пойла. Рьоха была моей любимой женщиной в этот вечер.

— Ты не скучал? — наконец, устав прыгать по тротуару, спросила она и повисла на моей руке.

— Нет. Я не умею скучать, — свернул я с асфальта на песок, ближе к морю.

— Правда?

— Да.

— А меня научишь? Я жутко как скучаю, когда одна, — согласились ее ноги с изменением маршрута.

— Хорошо, — глотнул я вина.

— Сейчас? — улыбнулась она.

— Нет, вот когда тебе станет скучно, тогда и начну учить, — сел я на песок и стал снимать сандалии. Фортуна тоже последовала моему примеру.

В этот момент, оторвавшись от стайки людей, рядом с нами полуобнаженной кометой пронеслась женщина, взвизгнув тормозами голосовых связок, за ней мужчина. Вскоре он ее догнал и завалил на песок. Женщина смеялась о чем-то безудержно, пока он не заткнул ее смех поцелуем.

— Не смотри, они целуются, — отвернулась от них Фортуна.

— Прямо жених и невеста.

— А где твоя невеста? — опять уставилась на парочку Фортуна.

— Невесты нет, есть жена, она осталась дома с сыном.

— Я тоже когда-то хотела братика. Потом решила, что лучше собаку, — отложила сандалии в сторону и увлеклась своими маленькими пальчиками на ногах, перебирая их, как кнопочки баяна.

— Чем лучше?

— Она будет моя.

— Логично. Разве у вас есть собака?

— Нет, вместо собаки мне купили платье, вот это, — встала она и расправила его. — Правда, я в нем похожа на невесту?

— Правда, — отхлебнул я из бутылки тринадцатиградусный закат.

— Ты женишься на мне, когда я вырасту?

— У меня уже есть одна жена.

— Может, разведешься? — посмотрела она на меня украдкой.

Я никак не ожидал такого поворота:

— Может, лучше искупаемся?

— Я бы на месте тети Милы своего мужа никогда бы одного не отпустила, — настаивал на своем предложении цыпленок.

— Почему?

— А кто бы тогда любил меня? Мне нравится, что ты разговариваешь со мной, как со взрослой, — поправила она косички.

— Мне тоже, — не придумал я ничего больше для ответа.

— А ты не знаешь, отчего появляется седина? — неожиданно достала из оперативной памяти залежавшийся вопрос Фортуна.

— От похолодания в мозгах.

— Мама говорит — от любви. У моего папы уже есть на висках, я видела, когда его причесывала. Ты веришь в любовь с первого взгляда?

— Нет, я верю только в кофе, утром, дома, сваренный не мной.

— Я тоже не верю.

— Тебе еще рано.

— Нет, не рано. У меня уже была. Правда, мало.

— А что случилось? — спросил я серьезно.

— Он попросил у меня карандаш. Я сказала ему, что дам, если возьмет меня в жены. Антон сказал, что подумает, и взял карандаш у Оли. С тех пор я не люблю имя Антон.

— Из-за карандаша?

— Да нет, не только. Вот папа всегда твердит, что любит маму, а как праздник — танцует с тетей Милой. Потом мама плачет всю ночь или, чего хуже, вешается тебе на шею.

— Чем хуже? — вспомнил я один из вечеров, когда она, пьяная, признавалась мне в несуществующей любви. — Это же только танцы.

— Значит, ты не любишь мою маму?

— Нет, — ответил я без раздумий, глядя на одинокую яркую звезду в небе, как на икону.

— Какое счастье!

Я тоже почувствовал себя счастливым после этого простого признания.

— И она тебя не любит?

— И она меня, — стянул я с себя шорты.

— Ах, — озвучило за нее волной и донесло до меня еще один вздох облегчения море.

— А папа любит тетю Милу?

— Не думаю.

— А ты подумай.

— Нет. Они просто дружат.

— А чего тогда мама так расстраивается?

— Мамам только дай повод, — стянул майку и кинул на песок. Потом подошел к самой воде так, что набегавшие на берег волны могли хватать меня за щиколотки. Ветер направил на меня свое дуло, пугая порывами и демонстрируя, что чем шире ты открываешь для себя мир, тем мощнее сквозняк. — Купаться будешь? — крикнул я Фортуне, которая уже достала из рюкзачка совок и рыла им песок, думая про себя, на сколько песочниц хватило бы этого пляжа.

— Я не люблю ветер, — ответило мне не по годам мудрое дитя.

— От ветра я тебе дам одеяло.

— Какое одеяло? — оторвала она голову от своего мира, где она жила в золотом вихре своих роскошных волос.

— Голубое, — залег я на границе воды и суши. — Вот смотри, — сделал я вид, что прихватил накатившую волну, натянул ее до груди и отпустил. Одеяло съехало обратно.

— Ух ты! Я тоже так хочу!

Фортуна быстро вынырнула из своего сарафанчика, под которым был купальник, и легла недалеко от меня, задрав голову, пытаясь поймать свое одеяло. Но волна никак не хотела ее укрывать.

— Холодно. Ты все одеяло на себя стянул, — собралась она обидеться.

Но в этот момент появилась именно та самая седьмая волна, которая закутала нас обоих в один соленый смерч. Я был начеку и подхватил за руку девочку, которая не успела испугаться, лишь весело взвизгнула, а придя в себя, начала ладошкой сгонять морскую воду с лица:

— Здорово! Еще хочу.

Мы побарахтались в пучине некоторое время, затем выбрались на берег, отлежались, оделись и начали метать в море камни, кто дальше, пытаясь попасть в лунную дорожку.

— А почему море волнуется? — новые вопросы возникли в маленькой желтой голове с косичками.

— А кому понравится, когда кидают камнями?

— Оно и раньше волновалось.

— Ну, мы же не одни. Кстати, нам пора уже обратно, пойдем? — метнул я к звездам каменный кусок земли. Туда, где бледная луна уже игриво покачивала стройной ногой. Она смотрела на собственную дорожку, которая делила море на две части.

— Угу, — запустила Фортуна еще один своей тонкой ручонкой. Отряхнула ладони, поправила сарафан, я подал ей руку, и мы двинулись в обратный путь. Было заметно, что ребенок устал: мячик сдулся и уже не прыгал.

— Забирайся на шею, повезу тебя, как принцессу, только, чур, за звезды не цепляться, — пытался я приободрить остатки ее духа.

— А ты принц, который сильно в меня влюблен, — сидя на моих плечах, осторожно обхватила она мою голову руками, чувствуя себя королевой бала.

— Безумной большой любовью.

Я держал ее маленькие ножки для подстраховки, те бились мне в грудь при каждом шаге, будто хотели достучаться до сердца.

— А маленькая, она какая?

— Когда женятся, заводят детей и наблюдают за большой по телевизору.

— Значит, у моих родителей маленькая, — с грустью заметила Фортуна и замолкла на некоторое время.

В холле отеля мы встретили Антонио. Он тонул в большом кожаном кресле, держась за журнал, как за спасательный круг.

— А ты что здесь?

— Вас думал перехватить. Анекдоты читаю, — предложил нам Антонио свои немного уставшие глаза, которые только что были завернуты в газету.

— А где мама? — повисла на шее отца Фортуна.

— В номере, ждет тебя. Фортуна, ты все анекдоты помяла, — начал он расправлять пострадавшую бумагу.

— Так они еще смешнее будут, — заступился я за Фортуну.

— Мы еще с дядей Оскаром прогуляемся перед сном. А ты беги к маме, — посмотрел Антонио на свою дочку.

— Нет, хочу анекдот, — осветила своими большими глазами отца девочка.

— Они для взрослых, Фортуна.

— Ну и что?

— Ладно, слушай. «Вечер обещает быть замечательным», — солнечно улыбнулся день. «Вечер наобещает, а мне расхлебывай, — недовольно зевнуло утро. — Пойду лучше заварю себе чаю».

— А что такое «расхлебывай»? — пропищал цыпленок.

— Ладно, Фортуна, давай к маме. Она тебе расскажет.

— Еще хочу!

Мы с Антонио переглянулись.

— «Уходишь?» — «Да». — «Насовсем?» — «На работу.»

— Уже лучше, — улыбнулся я.

— «Вчера проснулась, а тебя нет. Где ты был, дорогой?» — «А где ты проснулась, дорогая?»

— Тоже не смешной, — пожал плечами ребенок. — Пока, дядя Оскар, пока, папочка, — поцеловала девочка в щеку отца и побежала по коридору в номер, сверкая своим свадебным платьем.

— Пока, милая! — лизнул он ее воздушным поцелуем. После этого сложил газету, и мы двинулись в бар, куда уже давно спустилась ночь. Атмосфера внутри была накурена, публика порывиста, юбки коротки, музыка игрива.

* * *

«Какое ласковое семейство улыбок», — посмотрела Лара на мужчин, встретивших ее в холле. И улыбки эти, словно гладкие прохладные рыбки, сверкающие чешуей зрачков, норовили проскользнуть под платье или даже под кожу, чтобы купаться затем там, в океане ее души, питаться ею и тут же гадить. «Нет, не люблю я улыбающихся мужчин или, точнее сказать, не доверяю», — отмахнулась она от их лести легкой походкой, оставив лифт наедине с его пустотой.

Ночь сопела, звенели звезды, танго кумара в местном баре. Из соцветий беспечно лился приятный голубоватый свет, лепестки — розовые, красные, свежие — манили в полумраке, поблескивая открытыми участками кожи, подобно тем участкам, на которых можно было возделывать сады и собирать урожаи. Мимо нас прошел мужчина с бокалом в руке, к кронам многочисленных столов — сорвать один из цветков, зная, что, скорее всего, он потеряет здесь ползарплаты, полночи, лицо наутро, и все это ради того, чтобы понюхать любовь.

Мы заняли столик подальше от барной стойки и мариновали губы в вине и бесполезных разговорах. От нечего делать я наблюдал за соседним столиком, там в поту уставших бокалов мужчина томил молчанием свою женщину, ладонь ее приютила половину лица, она грустила, словно «дама с абсентом» Пикассо. В этом взгляде читалось длительное отсутствие кого-то и полное — себя, два вселенских мазка в глазах говорили, что женщины пьют не от хорошей жизни, женщины пьют от жизни горечь глотками любви. В тумане сигарет нас обнимал Синатра. Когда неожиданно ножницами оголенных стройных ног бар ровно на две половины разрезала прекрасная женщина. Ноги направлялись прямо к нам: это была Лара.

— Такая красивая сегодня, ты что, влюбилась? — встал и начал ворошить стулья Антонио.

— Да встретила одного лет пять назад, до сих пор не оторваться, — облагородила она своими формами наш мужской клуб.

— Как ночной проспект сверкаешь, — добавил я от себя лично. Мне пришлось прибавить звук своему голосу, чтобы эти комплименты оказались ярче, нежели те, что раздавал всему залу Синатра. — Вилки замолкли, стекло перестало звенеть, мир парализовало. А всему причиной твоя красота.

— Хочешь мою жену? — расщедрился Антонио на волне испанского красного.

— Нет, для адюльтера мы слишком крепко подсели на дружбу и на красное, — поднес я бокал к губам, и лоза ароматов окутала мои ноздри.

— Какой ты добрый, Антонио. То, что ты такой щедрый, еще не значит, что я соглашусь, — засмеялась Лара.

— Нет, не добрый, он великодушный, — поддержал я в трудную минуту Антонио.

— Я знал, что ты меня никогда не предашь, Лара, — добавил он, извиняясь за тупую шутку.

— Откуда такая уверенность? — все еще обижалась на него жена.

— От рождения, — снова вступился я.

— Теперь я не уверена, — улыбнулась Лара. — Я вот до сих пор не знаю, что это такое и откуда берется, хотя пользуюсь постоянно, — поправила она свое короткое платье.

— Уверенность — это когда начихать, что о тебе думают остальные, — налил себе еще вина Антонио.

— Ну, тогда мог бы и мне заказать что-нибудь, а не философствовать, — начала изучать этикетку на бутылке Лара. — Сухим балуетесь? Я бы не отказалась от кавы.

Антонио, получив задание, двинулся к бару, ловко лавируя между отдыхающими. Вскоре мы потеряли его из виду, он канул в пучине сверкающей стаи тел, и наши глаза вернулись к столику, к корзинке с хлебом, бокалам с вином, закускам, друг к другу.

— Сколько вы уже выпили? Что-то он раздухарился, — взяла в руки салфетку Лара.

— По паре бокалов. Хочешь попробовать этот нектар? — протянул я ей свой.

— Как погуляли с Фортуной? — пригубила и вернула она мне фужер. — Терпкое очень.

— Прелестно.

— Она тебя не утомила своими вопросами?

— Нет, вопросы были исключительно сердечного плана. Мне кажется, это я ее утомил, — зацепил я пальцами бледный лоскут хамона и демонстративно положил себе на язык.

— Да уж, уснула буквально за минуту.

— Очень толковый цыпленок, — с удовольствием приватизировал я соленую терпкую плоть.

— Ага, знаешь, что она подарила папе на день рождения? Набор нарисованных от руки открыток.

— Хорошо рисует?

— Да, десять открыток с бутылками и бокалами с вином.

— Я же говорю — смышленая. Даже не понимаю, в кого из вас?

— Все лучшее в детях — от женщин. Кстати, о женщинах. Мы уже несколько дней в Испании, а ты до сих пор один. — Лара пыталась поймать мой взгляд, который блуждал по окрестностям танцующей галактики в поисках сверхновых звезд.

— Ты тоже под впечатлением этого мифа, что я ни дня не могу без женственности?

— Вот и я говорю, что странно.

— Во-первых, я на отдыхе, во-вторых, женат, — пытался я защитить свое благородное имя, отдирая от своей шкуры ярлык ловеласа и сердцееда. Так как никогда не был тем, кем меня близоруко видели друзья и знакомые. Возможно, виной тому был избыток моей фантазии.

— Только не говори мне, что ты решил вернуться к своей жене, — напомнила мне Лара, что у Антонио от нее нет секретов.

— Скажу, раз ты настаиваешь: сегодня у меня будет свидание.

— Ты серьезно? Свидание... — задумчиво произнесла Лара, и даже в этой темноте было видно, как у нее румянцем выступила зависть. — А говоришь — отдыхаешь? Где ты ее нашел?

— Сегодня днем, в холле. Она сидела передо мной, перелистывая свои бесконечные ноги, а я, еще ни разу не читавший таких интересных книг, не знал, с какой страницы начать этот роман.

— Конечно, ты же не знаешь испанского!

— Не знаю... Пока, надеюсь, что языки передаются поцелуями. Как ты считаешь?

— Какой же ты подлец, всегда умеешь так красиво завернуть. Ты настоящая отрава, ты любовный яд, счастливый недуг. В любом случае все зависит от тебя. Каждый мужчина на свидании — это, по сути, боец, штурмующий неожиданно возникшую на его пути прекрасную сексуальную крепость. Несомненно, его ждет успех, если он будет действовать под девизом: «Взять любой ценой». Еще ни одна женщина не могла устоять перед щедростью. Искренне надеюсь — у этой испанки найдется противоядие.

— Ничего личного, просто флирт.

— Будешь играть на чувствах?

— Зачем играть? Мы же не в театре. Хотя, знаешь, в школе я думал поступать на актерское...

— Зря не пошел, думаю, у тебя бы получилось. Для мужчины флирт — это система Станиславского, которую ему надо ставить постоянно, как общеукрепляющее.

— Ты права, людей тянет к сцене, одним хочется смотреть, а другим — играть, и тем и другим не хватает разнообразия, — наполнил я бокал и снова протянул Ларе.

— Как в целом у тебя? — бросила в мой бокал два кубика льда Лара.

— Не так, как в кино: работы много, любви мало.

— Но роль-то у тебя главная?

— Скорее второго плана.

— Легкое ощущение профнепригодности? — толкала соломинкой лед в фужере Лара.

— Раньше было такое: что это не твое, что твое гораздо значительней. Стоило только задуматься о смысле жизни, хотелось бежать без оглядки, — смахнул я крошку со стола легким щелчком среднего пальца. Та полетела к стройным ножкам соседнего столика.

— Вредно много думать о смысле жизни.

— Да, это словно в пропасть смотреть, пытаясь взять на мушку цель своей жизни, — нашел я еще одну и перезарядил ружье.

— Взял?

— Вроде того.

— И что же оказалось целью?

— Оскар.

— То есть?

— Я понял, что для полноты жизни очень важно увидеть себя со стороны и все время держать в поле зрения. «Я» должно следить за Оскаром, чтобы объективно ощущать этот мир. И тогда жизнь твоя проходит в формате 3D. В нас настолько много «Я», что оно заслоняет само наше бытие.

— Получается?

— Когда чувства не мешают, получается, — сделал я второй выстрел, и пуля попала в цель. Однако на выстрел никто не отозвался, даже не оглянулся.

— А ты не боишься раздвоения личности?

— Пойми, речь не идет о раздвоении. Если «Я» отвечает за продвижение личности, за положительную динамику, то Оскар — за целостность, за общую картинку.

— А сейчас я с кем общаюсь — с Оскаром или с тобой?

— Слушает Оскар, а говорю я.

— Скажи мне, что это шутка, и я поверю, — отпила из бокала Лара.

— Да нет же. Разве с тобой не бывало такого: иногда человек говорит, а ты не слышишь его, думаешь о своем, вот я, например, говорю, а ты не слушаешь, — улыбнулся я. — Это все происходит оттого, что «Я» в тебе доминирует.

— Я думала, что подсознание бережет разум от лишних слов.

— Нет, скорее, бессознательное. То есть «Я» в этот момент полностью поглотило сознание. Вижу, мое «Я» тебя загрузило?

— Да уж, никакое сознание здесь не поможет, — засмеялась Лара, переводя свое внимание на сцену клуба, на которую вышли музыканты.

«Некоторым нравятся крупные», — подумал я, отпустив свой взгляд туда же.

Видно было, что один из них взял себе женщину не по размерам. Я ничего не имел против крупных женщин, но эта, широкой кости красавица, была на голову выше своего кавалера. Пытаясь ее обнять, он положил одну руку ей на плечо, другую — на талию. Пытаясь затронуть струны ее души, он волновался сам еще больше, то и дело поправляя прядь ее длинных волос, стекающую на грудь и ниже. Девушка отвечала приятным низким голосом. В ее негибком теле было много от дерева, но попа шикарная, парочка бросалась в глаза массам,

ей аплодировали. Скоро я тоже согласился с толпой: их медленный танец был прекрасен и гармоничен.

— Как они танцуют! — указал я Ларе на сцену, где молодой человек играл на контрабасе.

— Блестяще, — улыбнулась она мне. — А некоторые не то что танцевать — разучились смотреть друг на друга, интересуясь близкими, как прогнозом погоды, не зная, что ожидать, — сделала в этот раз она хороший глоток и присвоила бокал, оставив его в своей ладони.

— Ты нас имеешь в виду? — окинул я взором помещение, выискивая Антонио.

— Нет, тех, кому лень оторвать свою задницу от барной жизни, в которой нет ничего захватывающего, все как всегда: мужчины напиваются, утрачивая свое обаяние, женщины рисуются и исчезают за недостатком должного внимания, — сделала еще один глоток Лара и вернула мне фужер.

— Теперь я понимаю тягу женщин к художникам. Последние умеют смотреть и рисовать их такими, какими они хотели бы себя видеть. А женщины готовы вдохновлять. Я всегда мечтал быть художником, — поднял я переходящий кубок, завидев вдали Антонио, который продвигался, словно ледокол среди танцующих льдин, к нашему столику с бутылкой шампанского.

— Тебе мало женщин? — ждала свою каву Лара.

— Нет, я никогда не смогу их видеть, как они, перевоплощать.

— Опять про плоть, хоть бы раз о душе! Будет тебе испанская на этот вечер. Незнакомая. Как ты относишься к незнакомкам?

— К прекрасным — прекрасно.

— Лично я с незнакомыми всегда чувствую себя не в своей тарелке. А ты?

— Иду дальше, представляя, что же будет не в своей кроватке.

— Пошляк. Это я не тебе, — сказала Лара удивленному Антонио, когда на столе возникла бутылка кавы.

— Я же говорю, что художника во мне не хватает, я бы нарисовал изящнее.

Я вернулся под утро в свою палату отдыхающего, где уже давно спали Антонио, Лара и малышка. Разбитый, будто переспал со смертью. Я был настолько пьян и обессилен, словно мое мужское самолюбие уязвили в самое сердце. «Жизнь и смерть — две женщины, одна из них тебе уже дала, другая обязательно даст, когда первая разлюбит окончательно и скажет: «Хватит, дорогой, не надо меня обманывать». Или нет, не так: «Чувак, пошел вон! Тебя ждет эта сучка — смерть, она звонила, спрашивала к телефону твою душу», — копошились в муравейнике моего сознания насекомыми мысли. «Им о сексе со смертью мечтать не приходится», — посмотрел я на спящих друзей, пробираясь к себе на балкончик. «Но как знать, ведь именно она делает многих мужчинами, посмертно награждая бессмертием», — ухмылялся я собственному тщеславию, награжденному в эту ночь прекрасной испанской гитарой. «Это вам не с контрабасом танцевать... Не женщина, а фламенко. Вот бы ночь с такой провести... в этой раскладушке», — вдохнул я звездную ночь и накрыл себя саваном сна.

* * *

В комнате пахло супом, Лара сидела в самом эпицентре одиночества в душегубке быта, жадно-рыжее солнце лаяло на нее в окно, будто его кто-то натравил. «Развернуть бы этот газ в профиль, — усмехнулась она. — Жаль, что у шарообразных нет профиля, как нет и лица». Она встала и задернула занавески, вылив тень в комнату. Если бы ее спросили в этот момент, о чем она размышляет, вряд ли бы Лара смогла это сформулировать, она думала о своем, для нее это и было медитацией. Мысли — жевательная резинка извилин, а выплюнуть — значило сконцентрироваться. Сейчас ее точкой зрения была муха, которая карабкалась по вертикали стекла. «Даже у мух есть крылья», — подумала Лара, когда неожиданно это откровение вспугнул звонок телефона.

Звонила София, подруга, с которой Лара училась на филфаке в универе. Она была из тех подруг, которым можно было звонить в любое время, по любому поводу, даже без повода. Возможно, именно поэтому созванивались они крайне редко. Кроме того, что София была умна и бескорыстна в общении, наряду с пятью женскими чувствами: ревностью, щедростью, завистью, преданностью, добротой — она обладала шестым, самым главным, — чувством юмора.

— Алло!

— Привет, София! — взяла со столика телефон Лара и сделала тише телевизор.

— Привет, милая. Что-то давно не звонила. Как ты?

— Февраль, нарезать лук и плакать, — вспомнила Лара про суп, прошла на кухню, подняла крышку. Глянула в глаза супу, тот перекипел, но продолжал нервничать, не зная, на кого выпустить пар.

— Мой февраль тоже по Пастернаку. А самой-то трудно было набрать?

— Не то слово, ты же знаешь, как трудно звонить друзьям, когда не надо.

— Ну да, — смехом отозвалась София.

— А ты как? — выключила плиту Лара.

— Вроде бы суббота, хочется чего-то эдакого, но на душе пусто.

— Вот и в моем холодильнике ни черта.

— Что, совсем?

— Приелось как-то все, — вернулась в зал Лара и села на диван к телевизору.

— Лень тебе задницу оторвать и сходить в магазин.

— Так ведь она же прекрасна, — встала Лара с дивана, подошла к зеркальной двери платяного шкафа, стала разглядывать свои бедра, приподняв платье.

— Кто?

— Задница. А так наберу продуктов — и прощай, моя красота, — удовлетворенно опустила она подол и вернула свои ягодицы дивану.

— Красоту надо беречь.

— Ты бережешь?

— Ага. Сижу крашу ногти.

— Правильно. Суббота — это день, когда очень хочется отдохнуть.

— Но пока думаешь, с кем это сделать, наступает воскресенье — день, когда очень хочется отдохнуть ото всех. Тем более денек так себе. За окном осень капает всем на мозги. Время сбрасывать с себя прошлогоднюю листву, — любовалась блеском своих ногтей София.

— Все-таки решила расстаться с ним? — продолжала смотреть на экран Лара, то и дело переключая программы, будто таким маневром можно было поменять тему разговора.

— Да я уже. Угадай, какой цвет лака я выбрала?

— А что тут гадать, раз свободна, значит, красный.

Как и всякая женщина, София искала идеального мужчину. Такого мужчину, который мог бы любить, будучи готовым, что в любой момент его могут послать, даже не имея на то веской причины. Он должен был бы знать, что это всего лишь значит, что ближе его нет никого. Во-первых, надежного, который будет готов бесконечно быть рядом. Во-вторых, терпеливого, который будет готов остаться один на всю ночь без секса в голодной постели, которого она могла бы разбудить телефонным звонком, при этом слух его всегда должен быть абсолютным, способным трепетно сочувствовать. В-третьих, понятливым: мужчина в ее глазах должен быть готовым к ее глупым порывам, когда, бросая в сердцах в чемодан вместе с многочисленными платьями веские причины, она соберется вдруг уходить, с целью проверить, насколько он сильно влип и нужно ли ей продолжать спектакль... В-десятых, незаметно поднять ее настроение молчаливым утром, когда холодный кофе взглядов стоит в горле комом. В общем, она искала того щедрого, наглого и даже бесстыжего мужчину, у которого будет достаточно сил исполнять ее капризы.

— Я прямо чувствую этот пронзительный сексуальный запах ацетона, — добавила Лара.

— Он только для женщин сексуальный, для мужчины это запах вредного химического производства, — залилась смехом София.

— По какому поводу разбежались? — не найдя ничего путного, выключила «ящик» Лара и стала рассматривать свои ногти.

— По гороскопу. Сидела на работе, листала журнал. А там черным по белому: «Если у вас с кем-то не складывается, попробуйте вычесть».

— Надоел?

— Или я ему.

— На работе надо работать.

— Да и дома тоже надо. Только никакого настроения нет для этого. Кто бы пришел помыть полы...

— Я точно не приду, у меня своего пола хватает. Завтра прилетит муж, — резко вскочила Лара, разбуженная собственным подсознанием.

— Соскучился, наверное?

— Надеюсь.

— Я тоже соскучилась. Может, вечерком заглянешь? Страшно спать одной.

— Если тебе страшно спать одной, заведи любовника, мужа, в конце концов, — подошла Лара к платяному шкафу.

— Как? Без любви? Тогда мне будет страшно просыпаться. А ты что, уже любовника завела? — складывала в коробочку предметы маникюра София.

— Заведешь тут. Верность — это мое повседневное платье, — плавно отодвинула зеркальную дверь Лара, словно это была дверь в Зазеркалье. «Только я давно уже не Алиса», — подумала она про себя.

— А какое вечернее?

— Преданность.

— С таким багажом только в гости к родителям ходить. Чем занимаешься?

— Стою перед гардеробом своих капризов и не знаю, какой надеть.

— Тебе все к лицу. Ума не приложу, как тебе это удается?

— Женщина всегда будет выглядеть превосходно, если любима, — перелистывала она висящие в Зазеркалье декорации к ее телу.

— Завидую.

— Это лишнее, лучше наберись мужества, подойди к зеркалу и посмотри на правду.

— Ой, страшно! — София достала из той же коробочки зеркальце и заглянула в него. — Да вроде ничего, морщинок стало больше. Мне кажется, крем не подходит.

— Да какой крем, твои морщинки — это твои мужчинки. Любовь зла, — обдала сочувствием трубку Лара.

— Но где найти козла? Ты же знаешь, я очень хотела быть любимой, но почему-то стала любовницей.

— Не вижу разницы, — остановилась Лара на голубом куске ткани с открытыми плечами.

— Вот и я не вижу, но чувствую... — положила обратно в коробочку свое отражение София.

* * *

Теплый бриз скуки обдувал посетителей заведения. Пластиковые столы не располагали к откровенности. Легкие разговоры летних платьев и рубашек заливались холодной сангрией: этим душным летом и в наших краях она оказалась как нельзя кстати. Мы тоже заказали себе кувшин вина и блюдо закусок из испанской кухни. Официант довольно быстро нарисовал его на столе вместе с двумя бокалами. Я как зачарованный любовался кровью, которая играла кубиками льда и фруктами в кувшине под переборы испанской гитары, Антонио продолжал мучить газету. Я наполнил стаканы и поднял свой. Антонио сдал макулатуру пустому стулу и поспешил на праздник. Мы чокнулись и сделали по хорошему глотку. Холодная виноградная река приятной прохладой устремилась в самую душу. В голове поселилась непонятная радость. Я знал, что она сняла там угол на час, максимум — на два, пока вино не притащит теплую грусть и ностальгию по настоящей Испании.

— Какой прекрасный понедельник! Почему люди так не любят понедельники? — поставил стакан на стол Антонио.

— Потому что всю неделю они планируют в этот день начать новую жизнь, но в выходные кажется, что и старая вроде ничего. Все знают, что надо жить по-другому, но упорно продолжают жить по-своему, одни — чтобы выжить, другие — чтобы выжить остальных. Давай перезагрузимся! — поднял я стакан. Мы чокнулись и снова глотнули прохлады. На Иберийском полуострове нашего стола возникли моллюски и мидии, вечер обещал стать приятным десертом набитого отдыхом дня.

— Схожу в туалет, — предупредил я Антонио, когда уже встал со стула.

— Ок, жду.

Разговоры не менялись вот уже несколько лет: немного семьи, немного политики, современных машин, женщин, нравов. Потом он переходил к своей главной страсти — к парашютам. О прыжках он мог говорить бесконечно, рассуждая, как, где и при какой погоде какой купол лучше всего использовать. Он любил весело рассказывать о несчастных случаях, которые не добавляли настроения и которые я знал уже назубок. Особенно его забавляли те случаи, в которые попадали опытные инструкторы. Антонио пытался понять, почему даже профессионалы теряют самообладание в критические моменты. Он детально расписывал мне, к каким последствиям ведут те или иные ошибки.

— Я вижу по твоим глазам, что тебе не хватает в жизни адреналина, ты стал жить слишком спокойно, тебе нужен хороший затяжной прыжок, чтобы встряхнуться, — настаивал он. Эта фраза означала, что Антонио уже «хороший».

— С тобой готов прыгнуть даже без парашюта, — отшучивался я.

Мне казалось, все будет как прежде, но именно сегодня я ощутил, что, несмотря на то, что он по-прежнему листал газету, что-то менялось в человеке, которого Оскар так хорошо знал. Что-то безвозвратно уходило, испарялось, это можно было бы назвать одним общим словом «интерес», хотя они до сих пор прыгали вместе. Если же взглянуть с другой стороны, возможно, это хобби, в которое Антонио незаметно вовлек Оскара, осталось той единственной нитью, стропой, соединяющей их. Дружба тоже способна уходить, как и любовь. В этом не было никакого сомнения, с той лишь разницей, что найти новую дружбу было гораздо труднее или даже невозможно.

С каждой новой встречей Оскар боялся того, что снова придется пересматривать фото воспоминаний из прошлого, которые уже набили оскомину и усталость. Времена приключений малого совместного бизнеса, когда они с Антонио были настоящими пиратами, а сокровищами служили товары из Турции, Китая и Эмиратов. Когда вся страна дышала одной грандиозной авантюрой, питалась мошенничеством, мечтая о могуществе. Когда каждый на своей шкуре испытал, какая веселая штука жизнь, но штуки мало.

Пока я гонял по небу взглядом стада редких, исчезающих видов животных, Антонио вновь взялся за газету. Я уже точно знал, что сейчас будет порция свежих новостей из желтой прессы, после которых сама жизнь начинает пахнуть дешевой газетой.

— Послушай, что здесь пишут, это тебя позабавит, — начал цитировать он: «Жена мужу отрезала член лишь за то, что он его засунул в другую. Тело бедняги, потерявшего сознание, забрала «скорая». Самым забавным остается тот факт, что утерянное достоинство так и не было найдено. Жена его спрятала или проглотила».

— Жестоко. Что за чертовщину ты читаешь?

— Колонка строгого режима.

— Там повеселее ничего нет?

— «Мужчину заказала жена, — продолжил Антонио громким низким голосом. — Он ее порядком достал, и она решилась избавиться от него также оперативно. Итогом операции с контрольным выстрелом должно было служить доказательство в виде отрезанного мизинца несчастного. Благо, что в роли киллера оказался оперативник, жене потерпевшего дали три года. Что самое интересное, теперь он носит ей передачи».

— Это выше моего понимания. Но если бы он сказал, что никто ему больше не дает, это бы выглядело правдивей. Ты всему этому веришь?

— Не знаю. Но ведь такое сплошь и рядом: жила себе прекрасная пара, и вроде все у них было хорошо — и королевская свадьба, и клятвы верности, и даже дети, а через некоторое время ты узнаешь, что она распалась.

— Это из личных архивов? Надеюсь, не ты?

— Нет, это мои одноклассники. Чем можно это объяснить?

— Пресыщенность. Когда у человека есть все, и любовь в том числе, хочется чего-то большего.

— Чего же можно еще желать?

— Ненависти, например. Чувств много, человек один. Ему трудно. Вот представь, лежит у тебя на столе одна большая горячая любовь, которой ты питаешься, а рядом в вазочках соусы, то есть другие чувства. Любовь и любовь, вроде как ел уже, и не раз, но с соусами — совсем другое дело. Ты отрезаешь любви, насаживаешь на вилку, макаешь то в чувство мести, то ревности, то собственного достоинства, в общем, ищешь новые вкусы. Я про десерт за соседним столиком, — кивнул я в сторону.

— Хорошенькая, — засмотрелся на женщину Антонио. — Жаль, что я на диете.

— Ни сладкого нельзя, ни соленого, ни острого... Однолюб. Из миллионов женщин, населяющих эту планету, ты живешь с той единственной, которая настойчиво требует, чтобы именно ты ей говорил те слова. Чем назвать этот каприз: любовью или занудством?

— Любовью. Хотя иногда кажется, что любовью здесь даже не пахнет.

— Значит, редко о ней говоришь, — посмотрел я на блестящий под солнцем широкий лоб Антонио.

— Язык не поворачивается, — заставил он меня взглянуть на его губы.

— Так и бывает. Она пробежит, потом закашляется, споткнется и чихать на тебя. Будто страсти порыв простыл, будто сигарета погасла, — посмотрел я на свою, которая тлела, уткнувшись талией в пепельницу. — И этот дурацкий вопрос все время в ее глазах: «Ты же любишь меня? Ты же меня любишь?»

— Да, желание быть любимым, как ни крути, самое тухлое, самое беспощадное, — начал выуживать пьяными пальцами фрукты из кувшина Антонио, то и дело поглядывая на прекрасную незнакомку, которая занялась своими чудными волосами, аккуратно заплетенными в косу. — Теперь я понимаю, почему женщины так задвинуты на своих волосах. Для чего им непременно нужны густые и шелковые, и что они готовы пожертвовать многим ради этого, — проверил на всякий случай ладонью свою короткую стрижку Антонио.

— Этот шелковый ветер им нужен для рукоделия. На случай, если не удастся плести веревки из мужчин, — обратил я внимание, как прибавилось седины в его волосах за то время, пока я отсутствовал.

— Забавно получается: живешь, живешь сам по себе, ищешь себя, ищешь во всем, а находишь в ком-то, — проглотил он какую-то сливу и зажмурился. — Почему мужчин так тянет к незнакомкам?

— С незнакомками всегда было легко: можно написать, можно спросить, можно просто посмотреть, прокрутить в голове будущее, улыбнуться и не сказать ничего, так и оставшись незнакомым.

— Последнее не про тебя. Откуда у тебя этот талант так охмурять женщин?

— Это не талант, это почетная обязанность.

— И что ты находишь здесь почетным?

— Ничего, по четным я работаю, — устал я уже доказывать миру свою моногамность, понимая, что людям было удобно иметь на примере какого-нибудь знакомого Казанову, чтобы наедине с самим собой рассуждать о том, какая у него замечательная свободная жизнь, а в паре — осуждать всякий раз подобный образ жизни, муссируя последствия.

* * *

— Он тебя любит?

— Да.

— Не изменяет?

— Нет.

— Тогда чего тебе не хватает?

— Цветов, — посадила их Лара тихим голосом в трубку, вспомнив, что скоро уже надо будет закупить луковицы тюльпанов для клумбы во дворе.

— Цветы... Я бы тоже не отказалась, — посмотрела София на пустую вазу, дышащую прекрасным букетом белых трепетных роз, но промолчала. Она хотела поговорить по душам, а легкий запах зависти мог бы затушить любую искренность.

— О чем ты задумалась? — ждала ее Лара, все держа в руках лоскут ткани, который она хотела накинуть на себя завтра, когда приедет муж.

— Как одна случайная связь смогла оказаться связью между прошлым и будущим.

— Значит, не случайная, а уникальная.

— Я не понимаю: ты переживаешь или осуждаешь?

— Никто тебя не осуждает.

— Ты не знаешь, что такое настоящее одиночество. Это когда некому помочь расстегнуть платье.

— А по-моему, настоящее одиночество — это когда некому его застегнуть, — выплеснула на спинку стула голубую лагуну Лара. Платье обняло ее и застыло в ожидании бала.

— Значит, осуждаешь. Ладно, тебе можно. Только помни, что, если ты берешься кого-нибудь осуждать, неплохо было бы начать с себя, — прошла на кухню София, с желанием сварить себе какао с молоком.

— Это невыгодно: сразу захочется сделать маникюр, прическу и пойти за новым платьем.

— Так сходи и купи себе хоть раз платье вместо продуктов, — открыла она буфет.

— Схожу, только не сегодня.

— Не сегодня — значит, никогда.

— Ну почему же сразу никогда? Лучше расскажи, кого ты встретила?

— Да так, одного прекрасного юношу, — достала София пачку какао.

— А сколько ему?

— Феликс на семь лет моложе меня.

— Не знаю, почему мне всегда нравились взрослые мужчины?

— Не волнуйся, это возрастное, где-то

после сорока потянет к юношам. Просто у меня это случилось раньше, — насыпала она в турку какао и налила воды.

— Не пугай меня такими цифрами. Если даже потянет, главное — не упасть, — оставила без света Зазеркалье Лара, закрыв шкаф.

— В разврат? — зажгла плиту и поставила жестянку на огонь.

— Скажи еще, в содом. Интересно, с чего же все началось?

— С мартини. Я думала, что же он скажет? Банально: «Как вас зовут?», «У вас глаза такие красивые, что голова моя кружится» или «Вам муж не нужен?». Я уже прокручивала варианты ответов: «Извините, нет времени» или «Я почти замужем», а он... — загадочно взяла паузу София. — Угадай, что он сказал?

— «У вас зажигалки не найдется?» — села Лара обратно на диван, где, закрыв глаза на ее болтовню, клубком свернулась кошка.

— Нет.

— Сдаюсь, — начала она гладить ее шелковую лоснящуюся шубку.

— «Давайте без лишних слов поцелуемся», — взял, да и обезоружил. Все выходные провели вместе. Вчера он меня в мексиканский ресторан водил. Обожаю латиноамериканскую кухню и музыку, — добавила она молока в турку.

— Романтично.

— Ну да, если не считать, что я все время тянула его танцевать, а он ни в какую.

— Зря, танцы — это пятьдесят процентов успеха в завоевании сердца женщины. Можно даже ничего не говорить.

— Ему это не мешало молчать. Весь вечер он смотрел на меня, как на богиню. Ты же понимаешь в знаках, скажи мне, если мужчина постоянно мнет салфетки и ломает пальцами зубочистки на свидании, что это значит? — достала из холодильника масло и нарезку из сыра София, подцепила изящно один тонкий дырявый пластырь и откусила.

— Что он не собирается ковыряться в твоем прошлом, а свое признание хочет изложить в письменном виде.

— Да? Я тоже так подумала. А если женщина?

— Что ей уже надоели переломы судьбы и эти любовные записки, — начала Лара будить кошку, касаясь ее локаторов.

— Блин, в быту гибнет настоящий психолог. Ты могла бы помогать людям.

— Да, но у меня образование филологическое.

— Слова — это именно то, чего многим не хватает. Поверь мне.

— Я чувствую, теперь и тебе не хватает.

— А ты думаешь, почему я тебе позвонила? Сегодня мы с Феликсом идем в театр. С утра думаю, какое мне надеть платье, — подала себе какао София и села за стол.

— Ты его любишь? — Лара снова посмотрела на свое платье, которое отдыхало на спинке стула.

— Да.

— А он тебя?

— Тоже.

— Тогда какая разница?

— Разница в возрасте, — сделала она глоток. Какао побежало утренней разминкой по ее жилам.

— Теперь ты постоянно будешь комплексовать? — с последним словом вспомнила вдруг Лара, что не сделала сегодня комплекс упражнений для пресса.

— Я бы не хотела, но эта мысль не дает мне покоя.

— Сколько у тебя их уже было?

— Ты про мысли или про мужчин? — пошутила София, и трубка ответила ей смехом. — Пять, — продолжила она.

— Много, прямо как чувств. — Взгляд Лары скользнул по паркету и докатился до противоположной стены с книжным шкафом. Она начала перебирать корешки книг. Имена знакомых писателей проносились у нее в голове, словно это была одна большая семья родственников, живущих где-то далеко, но, несмотря на это, готовых ее поддержать в минуты забвения. Квартира, как и часть ее мебели и книг, досталась им с Антонио от родителей.

— Вся надежа на шестого.

— Все принцы? — наткнулся взгляд Лары на корешок книги «Принц и нищий».

— Ты же знаешь, каково с ними. Бывает, встретишь принца, нафантазируешь с три короба, затем ходишь и спотыкаешься о них, пока не позвонишь кому-нибудь из бывших, чтобы помогли убрать это барахло, — накрыла она хлеб сыром и откусила.

— А этот?

— Феликс другой, он не принц, он искуситель, — соединяла София терпкий сыр, душистый хлеб и какао из детства в один чудный букет вкуса.

— Знаю я. Покусает и отпустит, сиди потом, зализывай раны, буди меня ни свет ни заря.

— Включи меня в черный список.

— В ночной, ты хотела сказать?

— Постараюсь быть сдержанной. Как твои дети, кстати? Давно их не видела.

— Дети растут. Фортуна в школу пошла, — довела кошку Лара, та фыркнула недовольно и скатилась с дивана.

— А младшая?

— Кира тоже пошла. Нет, не в школу, просто пошла. На днях сделала первые шаги. — «Марк Шагал» — опять выхватил ее взгляд из шкафа альбом о любимом художнике, и ей самой стало смешно: «Куда он шагал? До сих пор никому не известно».

— Поздравляю. Надо будет заехать как-нибудь с игрушками.

— Боюсь, к тому времени, как ты заедешь, она уже будет играть в другие игры, — вдруг постаралась вспомнить Лара, как давно она играла во что-нибудь. И не смогла.

Женщина мягкая и покладистая, с каждым годом Лара все больше убеждалась в том, что жизнь ее довольно скучна и однообразна, несмотря на полный комфорт в большом загородном доме, в котором жили еще две семьи, несмотря на достаток, который их постоянно преследовал, несмотря на частые вояжи на морское побережье, которые слыли лазурным индикатором того самого достатка. Если раньше она была уверена, что жизнь делит все человечество на два полушария: любимых и любящих, первые живут в южном и порой страдают от жары своих воздыхателей, другие обитают в северном, они почти всегда мерзнут в пылу безответных чувств, что лишь небольшая колония (где жила и она) обосновалась на экваторе, им повезло найти своего человека в стране вечной весны, то теперь все чаще Лару свербила мысль о том, что быт и дети были слишком слабым утешением смысла ее жизни, все чаще она задумывалась о том, что обласкивать и обслуживать мужа и двоих детей ей надоело. Эту мысль она всячески гнала, как голодную муху от ее раздобревших на блажи мозгов. Но та всякий раз возвращалась, стоило только начать мыть посуду.

Дела, любимого дела — вот чего не хватало. Жизнь ее прошла под крылом мужа. Там она свила гнездо. Там она вывела птенцов, но разучилась летать. Лара, конечно, знала, что жизнь слишком крохотна, чтобы тратить ее на нелюбимые дела. Но и они, вроде бы постепенно, стали тем необходимым, чем можно было заполнить время или, попросту говоря, его убить, оправдать свое земное существование, пассивную позицию, лень.

* * *

«Как-то мне надоело в душе наводить порядок», — решила Фортуна навести его на столе, хотя понимала, что и то, и другое — занятие бесполезное. Потому что в ее понимании вещи, что люди — часто занимают не свои места, сколько их ни переставляй. Она решила начать с книг, одна из них была раскрыта, это была пьеса современного автора:

— Откуда вы взялись, такая очаровательная?

— Не смотрите так строго, девушка всегда может быть лучше, достаточно предложить ей кофе.

— Может, лучше шампанского?

— Почему не кофе?

— Не люблю прелюдий.

— А кофе — это, по-вашему, прелюдия?

— Да. Шампанское — это флирт.

— Терпеть не могу флирт. А что нужно для безумия?

— Водка — это безумие.

— Тогда можно мне водки с апельсиновым соком?

— Почему с соком?

— Хочу сочного безумия.

— Так откуда вы?

— Я родом из одиночества. Вас не пугает, что я очень сексуальна?

— Кто вам такое соврал?

— Вы.

— Когда?

— Когда посмотрели. Кстати, кем вы работаете?

— Я работаю в одной крупной фирме.

— Менеджер по продажам?

— Откуда ты знаешь?

— Уже который день пытаешься впарить мне свою любовь.

Она закрыла книгу, вспомнив своего надоедливого одноклассника, что каждый день приносил к ее двери сезонные цветы.

Сегодня это были астры. Внимание приятно щекотало гордость, но для любви этого было мало. Она еще никогда не любила, хотя иногда ей казалось. Она не любила ломать голову над своим будущим, уверяя себя, что если его начать любить, то не останется свободы для настоящего, которое и без того занимало много места в ее прелестной светловолосой головке. Череп которой был прекрасен, прекрасна натянутая на него кожа, все отверстия просверлены кем-то великим по назначению правильной формы. Сейчас ее, как никогда, вдохновляла собственная красота, девственность любопытствовала, а кокетство помогало легко расправляться со взрослыми вопросами этой жизни. На столе лежало несколько книг, которые она могла открыть на любой странице, как камертон, просто настроиться, найти пароль к своему безделью. Сейчас в руки Фортуне попался альбом Дали, при этом голова ее не шла кругом, не болела, она верила в тараканьи усики старого монстра, динозавра шедевров, который развлекался со своими поклонниками... «А мне ломать голову: подумаешь, слоны на ходулях, время стекает сыром, горячие бутерброды вкуснее», — Фортуна была уверена, что многое из того, что она не понимала, в самом деле не интересно.

«И незачем время терять, вот девственность — другое дело», — воткнула она альбом в свое гнездо на книжной полке и бросила взгляд на окно, затянутое осенней плеврой: «Какой же он, первый мужчина?» Книги наводняли стол, все убирать на полку не имело смысла, они нужны под рукой. Фортуна просто сложила их в стопку и сдвинула на угол стола, все, кроме од-

ной, которую она взяла у Вики. Кинула ее на кровать, чтобы почитать после уборки... Стерла невидимую пыль с зеленой статуэтки бога Хотея, толстого смеющегося человечка с полным пузом смеха, улыбнулась ему и поставила обратно: «Запылился, видимо, как и я, с утра не смеялся». Далее были отправлены в мусорную корзину два использованных билета в оперу, где она поспала немного под музыку Чайковского вместе с бабушкой, так как слушать ее в течение трех часов было выше всяких сил: «Уж полночь близится, а оперы конца все нет», — вспомнила Фортуна шутку своей бабули.

Ручки и карандаши были сложены в одну большую сувенирную кружку, листы бумаги, чистые и исписанные разными почерками ее мыслей, по которым она пробежалась глазами и тоже отправила в урну: «Бред какой-то», две купюры по сто рублей: «Это точно не помешает», сложила деньги в карман брюк. Мандарин был очищен и тут же съеден, как награда за труд. «Все, все по местам», — упала Фортуна на кровать, ни взять, ни добавить, не то что в душе, в ней все было гораздо запущенней, если не сказать, хаос. Переплет, в который она попала, который нащупала под собой. «У каждого романа свой переплет», — подумала Фортуна, которая любила книги, и эта любовь не была похожа ни на какие другие, хотя и затрагивала все пять ее чувств. Ей нравился запах типографской краски, который исходил тонким ароматом от страниц, когда она перелистывала их, перебирая глазами буквы. Осязая бумагу пальцами, слышала ее шепелявую болтовню, которая с детства привила Фортуне хороший вкус, будто это была прививка на всю оставшуюся жизнь от творческого слабоумия, от болотного уныния, от собственной лени. Она открыла книгу на закладке:

— Может, еще по сигарете?

— Пожалуй, но сначала — по самолюбию.

— Значит, опять не останешься?

— Не останусь, покурю и домой.

— Поэтому прошу тебя, давай сегодня без флирта.

— Почему?

— Искренности ноль. Флирт только насмехается над чувствами. Будто две птицы в клетках признаются друг другу в любви, зная, что никогда не смогут из них вылететь, потому что крылья уже давно обрезаны, да и кормят вроде.

— Откуда у тебя дома женская заколка? — надевала Моника красный берет у зеркала, на полочке под которым лежал предмет ее любопытства.

— Видимо, от женщины. Кто-то поставил капкан для твоей ревности.

— Из всех мужчин я ревную только к тем, с которыми у меня что-то было. Зачем ты все время пытаешься мне о ней рассказать?

— Сбросить камень с души.

— Чтобы я построила из этих камней крепость?

– Точно! — застегнул он ей аккуратно верхнюю пуговицу пальто. — Это чтобы не надуло другой случайной любви.

— Зачем люди так стремятся быть вместе? — поблагодарила его улыбкой Моника.

— Потому что порознь они настоящие звери.

— А мне нравятся животные в мужчинах. Неужели ты считаешь, что настоящему мужчине так необходима красота?

— Уверен.

— Во внешности или в душе?

— Рядом. Я до сих пор не знаю, как найти подход к этой женщине. Я имею в виду тебя.

— Это потому, что ты уже подсознательно обдумываешь пути отступления.

Она перелистнула несколько страниц:

Я сидел за стойкой на табурете в баре, сзади подошла женщина:

— Угостите меня поцелуем.

Я ей налил, потом еще, позже разлил на двоих постель. Утром, чтобы голова не болела, за то, что было и будет, мы еще хорошенько хлебнули, так беспробудно друг друга пили несколько месяцев, пока однажды не поняли, что уже не можем без этого, алкоголики.

«Вот оно, современное искусство, — подумала про себя Фортуна, отложив книгу в сторону. — Открываешь на любой странице, и все понятно».

* * *

Фортуна повесила трубку и вспомнила Оскара, который налетел на нее, как шквал ветра, взял в руки лицо и прижал свои губы к ее губам. Теперь она сидела одна в своей комнате и дрожала от странного ощущения счастья, от страха того, что кто-то может вдруг отобрать у нее это счастье, если узнает, что произошло. Однако ни отец, ни мать давно уже не заходили к ней поцеловать перед сном. Фортуна слышала, как они ввалились в свою комнату веселые, пьяные, продолжив праздник в постели, но уже без гостей.

Она лежала в темноте с открытыми глазами, в который раз прокручивая в голове прошедший вечер от середины, когда мама только успела крикнуть: «Ваза!» А та уже бросилась танцевать под ритмы какофонии, которую устроили папа и Оскар, налегая своими задницами на клавиши. Ваза прокатилась по крышке пианино и лопнула, как электрическая лампочка, не выдержав напряжения. Осколки жалости были быстро собраны. Через несколько минут и взрослые, и дети уже играли в бутылочку, утопив дом в смехе и поцелуях. Но эти невинные поцелуи были легкой прелюдией перед тем, долгим, что обрушился на Фортуну на кухне, куда ее отправили готовить чай. Где через минуту появился Оскар и завязал одним поцелуем те самые отношения, к которым многие шли годами. Те самые отношения — это когда ты бросаешь кучку своих встревоженных чувств на плаху любви и ожидаешь, а что же будет дальше? Ничего. Ничего особенного: казнь состоится, тебе снесет башку, ты будешь бродить без нее какое-то время на ощупь, пока не акклиматизируешься и отец не прочтет матери в вечерних новостях объявление: «Найдена женская голова, потерявшую просим позвонить по телефону... Интим не предлагать».

Больше всего в этой истории Фортуну смущало то, что придется скрывать это от матери, пряча лицо, выступивший вдруг румянец, при одном лишь намеке. Только сейчас Фортуна поняла, насколько же она была похожа на мать, которая за всю свою идеальную семейную жизнь так и не научилась лгать.

* * *

Лара была спокойна: Антонио, каким бы он ни был мужем, любил настолько сильно, что любое ее отсутствие без уважительной причины, будь то посиделки у подруг или походы по магазинам, расценивалось как измена. После которой он мог молчаливо ковырять ужин в тарелке несколько вечеров подряд. Поэтому вся ее долгая и, как казалось, такая перспективная жизнь заключилась в четырех стенах времен года со своими вечными соседями и картинами окон с выцветшими пейзажами, где она безостановочно повиновалась мужу и растила двоих детей. Если дни были длинными, потому что вставать приходилось рано, чтобы отвезти детей, кого в школу, кого в садик, то сама жизнь на поверку казалась короткой из-за однообразия. Даже частые выезды за границу на отдых слились в памяти в один короткий вояж с видом на море, в котором было все включено, начиная от загара, кончая скукой. Когда отдых длился дольше десяти дней, она начинала дико скучать по своему приусадебному хозяйству. Лара настолько обожала свой дом, что любой выход расценивала как забавное приключение, из которого приятно было вернуться в родную обитель.

Жизнь ползла бы так же хорошо и дальше. Если бы не дела Антонио, которые неожиданно начали давать сбои, да такие, что в конце концов ему пришлось закрыть свой бизнес и устроиться на буровую в одной нефтяной компании, подолгу пропадая в командировках. Тогда единственной ее отрадой, исключая детей, становились растения, которые тянулись к ней, как к солнцу, своими нежными лапками — одни с цветами, другие с плодами. Сад был ее самым дорогим детищем. Цветами она кормила вазы, а овощами и фруктами — стеклянные банки, которые потом аккуратно томились в погребе, ожидая праздничных и обеденных столов.

Дети росли, по большей части общаясь с матерью, и не только оттого, что отца часто не было дома, но даже в его присутствии. Мать часто выступала между ними в роли переводчика, посредством которого общался с детьми муж:

— Лара, ты не знаешь, Кира идет сегодня на тренировку? — спросил он, зайдя на кухню, где уже сидели за столом и жена, и Кира.

— Во сколько у тебя сегодня теннис? — посмотрела Лара на Киру.

— Как обычно, в шесть.

— Пойдет, — налила она чаю мужу, который уже сидел за столом и листал старую газету.

В этот момент позвонил я и сказал, что заеду к ним сегодня вечером с букетом хороших вин.

— Да, конечно, приезжай, пожарим что-нибудь у костра.

— Опять Оскар?

— Что-то он к нам зачастил, — суетливо стала сметать со стола несуществующие крошки Лара. Сердцем она чувствовала, в чем причина моих столь частых визитов. Однако мозг не мог такое представить, не мог допустить эту мысль в голову.

Существовала и еще одна, более веская причина, которая отдаляла девочек от отца. Детям не нравилась его жесткая манера общения. По сути, в доме гастролировал театр одного режиссера. Кукол дергали за нитки, которые были привязаны к самым болезненным точкам незрелой психики девочек. Так легче было завоевывать дешевый авторитет в семье и манипулировать девичьими душами, которые требовали свободы и равноправия с каждым днем все больше и больше.

— Заедем завтра в спортивный магазин.

— Зачем?

— Фортуне надо купить купальник для бассейна.

— Зачем тебе купальник, Фортуна? Может, купить просто плавки, все равно груди нет.

Младшей сестре, которая носила брекеты, тоже доставалось:

— Тебе слова не давали, Кира. Закрой свой рот, а то железом пахнет.

Лара понимала, что Антонио перегибает палку, однако не вмешивалась. Она считала мужа главным человеком в семье, главным по их капризам, и в вопросах воспитания полностью доверялась ему, считая, что девочки и так сильно обделены мужским вниманием. Ей удобнее было думать, что именно так проявляется его любовь к ним. В ее представлении любовь была той самой частью бессознательного, которую лучше не трогать: только начни ее осознавать, она тут же исчезнет или примет формы уважения, дружбы, ответственности, долга, превратится черт знает во что.

* * *

Фортуна и я шли сквозь грусть осеннего парка, дуло желтыми листьями. Мы ели тишину, как сладкие конфеты, фантики которых разбросаны повсюду. В ней чувствовался вкус победы над разумом, тоской и скукой, размазанной по небу. Разноцветные фантики слетали с деревьев, замедляя время. В каждой жизни есть место осени, во вкусах которой обычно недостаточно конфетного, а в шуршании — блестящей амальгамы, огрызки света тусклы.

— Никто не сможет объяснить причины грусти осенью.

— Тебе грустно со мной? — улыбнулась одними губами Фортуна.

— Нет, не с тобой, а с осенью.

— Я люблю осенние парки, где можно пройтись сквозь редеющие кроны воспоминаний дорожками ностальгии и пошуршать бывшими. Какое-то прохладное умиротворение после пожара лета. Листья плавно кружатся в воздухе.

— Будто сама осень, раздеваясь, приглашает на танец, — нарисовались мы живым влюбленным пятном в сумрачном влажном парке.

— Ты неискоренимый романтик. Ну и чего же не танцуешь? Женщина тебя приглашает, — отпускала мою руку Фортуна.

— Не люблю слишком доступных, — задержал я ее ладонь в своей, привлек к себе и поцеловал, как в первый раз. После того как наши губы обменялись эндорфинами, я согласился: — Я тоже ее начинаю любить, осень.

Вдали работники парка сгребали в кучу листья и сжигали, как запрещенную литературу. Приятно потягивало дымом.

— Каждый лист — это письмо, — подняла Фортуна огромный желтый лист и протянула мне: — Читай! О чем там?

— О чем еще могут быть письма: об увядших чувствах, о прошедшем лете, о скорой зиме.

— Зима — это не так важно!

— А что важно?

— Важно — с кем, — остановила меня Фортуна и приподняла воротник моего пальто.

— А вот и почтальон, — махнул я вперед рукой. Навстречу нам шел молодой человек с венком из кленовых листьев на голове.

— Может, у него для нас есть письмо?

— Откуда?

— Из Парижа.

— Почему из Парижа?

— Почему-то дико хочется в Париж.

— Мир подсел на Эйфелеву иглу.

— Хорошая дурь. Там легко потерять голову.

— Была в Париже?

— Нет, но уже хочу. Я по гороскопу Париж. А ты кто по знаку?

— Главная дорога.

— А, вот почему с тобой так легко. Чувствую, до добра это не доведет.

— Хотя бы до Парижа.

Природа с завистью смотрела на наше маленькое счастье. Было заметно, что настроение ее от этого портится. Потихоньку стал накрапывать дождь.

— Только бы не расплакалась, — поднял я голову кверху.

— Не верю я ее слезам, — подставила под капли руку Фортуна.

— Почему?

— Соли не хватает, — попробовала она на вкус то, что поймала, и протянула свою ладошку к моим губам.

— Да, действительно, совсем пресные и ледяные, — попытался я согреть кожу Фортуны своим дыханием.

— Хватит, щекотно, — забрала она руку и сунула ее в мой карман.

— Глядя на танцующие в воздухе осенние листья, я понимаю, что никогда не смогу так же, — произнесла Фортуна, сжимая своей ладонью мою.

— Потому что не хочешь ударить в грязь лицом? — Фортуна ущипнула меня за палец.

— Потому что хочешь танцевать вечно? — исправился я.

— Потому что не хочу танцевать одна. — После этих слов она сделала несколько па, словно ребенок, которому очень хотелось, чтобы его похвалили. Меня хватило лишь на хитрую улыбку, после которой мы погрузились каждый в свое. Фортуне свое надоело быстрее:

— О чем мечтаешь? — разорвала она затянувшееся молчание.

— Не поверишь, нет ни одной мечты.

— А если вот так? — поцеловала она меня в губы.

— Приятно, но мало.

— И все? А что скажешь сейчас? — слились мы надолго в едином поцелуе. Руки мои невольно потекли от талии по ее телу. Одна из них пробралась под пальто к груди. Я почувствовал тепло женского тела.

— Есть мечта? — отобрала Фортуна свои губы и разбавила голубым мои карие глаза.

— Тебе откровенно?

— Да.

— Я мечтаю провести с тобой эту ночь, — не хотел я отпускать ее из своих объятий.

— Ну наконец-то. Теперь тебе есть о чем помечтать, мечтай, это не вредно, — зашуршала она от меня осенней аллеей. Я кинулся догонять мечту.

* * *

Фортуна валялась в постели, пересматривая снимки, которые ей сегодня удалось сделать, когда она гуляла по городу. Какие-то удаляла сразу, другие собирала в альбом. Она старалась подходить к выбору справедливо, не так, как раньше, когда было только два критерия отбора: нравится – не нравится, кое-что выставляла на публику в Интернете. После того как она закончила курсы фотографии для профессионалов, ее отношение к делу (именно так она его называла) стало более осознанным, она пыталась с первого взгляда понять слабые стороны того или другого снимка. Еще один пейзаж полетел в корзину, когда пришло сообщение от Вики.

Подруга, с которой они сидели в школе несколько последних лет за одной партой. После окончания их разбросало по разным университетам, однако, как и прежде, они разгуливали свободно в самых затаенных уголках души друг у друга, поддерживая в трудную минуту, чтобы те, неугомонные, не сбились с пути.

— Посмотрела мой новый альбом про Париж?

— Ага, — отписалась коротко Фортуна, закончив свою прогулку и оставив в покое свои фотографии.

— Ну как тебе?

— Потрясающий город. Только кое-что я на твоем месте сняла бы по-другому. Черт, как я хотела бы быть там на твоем месте, а еще лучше — вместе с тобой.

— Что, совсем не понравились?

— Тебе честно сказать?

— Опять начнешь меня учить?

— Да нет, так, несколько советов.

— Валяй. Немного критики не помешает от специалиста, — иронизировала Вика.

— Ну давай с первых начну: голый пейзаж, надо было что-нибудь поставить туда, за что цепляется взгляд. Понимаешь, о чем я говорю?

— Не тупая, — поставила скобку после этой фразы Вика.

— Причем поставить в одном из зрительных центров. Далее, летящий поезд. Чувствуешь: чего-то здесь не хватает?

— Чего?

— Места, тесно ему, некуда ехать, надо было оставить в кадре место по направлению движения.

Вот этот снимок с башни мне понравился, очень хорош, но можно было повторить его с большей высоты, так как высокая точка съемки дает возможность охватить больше пространства и передать больший объем. Фотография — это кино, это роман, ну, не роман, рассказ. У каждой должен быть свой сюжет, — азартно объясняла азы искусства Фортуна.

— А низкая?

— Подожди, я возьму что-нибудь перекусить на кухне. Одну минуту, — оторвалась она от компа.

На кухне она столкнулась с миловидной женщиной, на вид лет тридцати пяти, стройное тело которой стекало бирюзовым ласковым ситцем к самому полу. Лицо с располагающими добрыми глазами в обрамлении густых ресниц, слегка вздернутым носиком, под которым нашли приют теплые пухлые губы, было слегка озадачено. Но эта тревога ничуть не портила, скорее даже наоборот, подчеркивала внутреннюю красоту мыслей. Увидев, как Фортуна наливала молоко в кружку, губы ее вдруг проснулись:

— Мы же договорились, что ты будешь есть на кухне.

— Я же не ем, я перекусываю, мама, — бросила она на лету Ларе.

— Ты не забыла, что скоро придут гости, нам надо накрыть на стол.

— Да, конечно, я помню! — вернулась уже через две минуты с кружкой молока и пакетом печенья в свою комнату Фортуна.

— Низкая позволяет подчеркнуть динамичность и глубину этого сюжета, — она отправила ответ на вопрос.

— Поела?

— В процессе. Печенье овсяное будешь?

— Не, не люблю есть на лекциях. Чувствую себя как в университете, руки чешутся взять в руки конспект.

— Ладно, потерпи еще немного: дальше идут портреты.

— Это не портреты, это парижане.

— Надо было снимать ближе.

— Ближе страшно, не все же любят, что тебя снимают.

— Ага, поэтому много лишнего в кадрах. Со светом тоже беда, надо, чтобы он падал сбоку или сзади. Там будут лучше видны черты и характер, — осторожно кусала печенье Фортуна, чтобы то не крошилось.

— Понятно, но мне-то некогда было думать о свете.

— Думать необходимо. Умная должна быть фотография.

— Ладно, кончай, меня и так все бесят. Сейчас и ты попадешь в их число. Я на всех ору, на родителей, на друзей, и особенно на себя. Не знаешь, в чем причина?

— Может, заслужили?

— Кончай язвить. Везде мерещится бардак, меня все раздражает, особенно близкие, им больше всех достается.

— Как же Париж?

— А что Париж?

— Можно же жить впечатлениями.

— Слушай, давай без эзотерики. Лучше скажи, что это?

— Забей. У меня тоже такое бывает.

— Может, осеннее?

— Может, оттого, что спишь одна, — попыталась поднять настроение подруге Фортуна, откусывая очередное печенье.

— Опять смеешься?

— Нет, я читала про гормональные сбои, такое случается, — уставилась она на висящий в ее комнате большой плакат группы Placebo, по которой она когда-то сходила с ума.

— Этого только не хватало. А у тебя как с этим?

— Ты представляешь, он поцеловал меня, — внимательно рассматривала она одного из участников группы, задаваясь вопросом: «Что я тогда в нем нашла?»

— Кто?

— Оскар. Помнишь, я тебе рассказывала.

— Ты серьезно? И как это было?

— Будто и не было вовсе, а так — легкая фантазия на тему «Красавица и Чудовище».

— Что же дальше? Страшно хочется знать!

— И мне страшно.

— Ну расскажи.

— Все пока, была еще эсэмэска. «Каждый день я вдыхаю твой космос, чтобы ярче горели звезды», — нашла эсэмэску в телефоне Фортуна.

— Красиво. Что, поцеловал и уехал? Где это было?

— Дома. Он приезжал к нам в гости.

— Дома? С ума сойти. А родители?

— Они не знают. Родители — это бонус к моему существованию. Живут себе. Папа на Севере, мама на кухне, — вытерла рукой усы от молока Фортуна. — Никому нет до меня дела.

— Теперь уже есть. Ну отец же приезжает, наверное, иногда?

— Да, конечно, приезжает со своими тараканами. Вечно чем-то недоволен. Постарел, что ли? Раньше с ним веселее было.

Может, это я сильно изменилась в его глазах, оттого, что мало общаемся.

— Он же у тебя парашютист?

— Да, все время обещает меня с собой взять. Но дальше обещаний пока не прыгнуть.

— А ко мне сегодня клеился один дед.

— Дед?

— Да, именно дед, давай я тебе перезвоню, расскажу. Это словами не описать.

Через минуту Вика позвонила:

— Алло!

— Да, слышу тебя.

— Так вот, он присел ко мне рядом на скамейку в тот самый момент, когда хотелось побыть одной, и начал грузить вопросами:

— Вы знаете кому этот памятник? — И сам себе отвечает: — Кутузову.

— Спасибо, я не знала. Они все такие похожие.

— Я бы мог вам много рассказать об этом городе и проводить по заповедным уголкам, — прошамкал он своими сухими губами и поправил седые усы. — Хотите?

— Нет.

— А чего вы хотите?

— Я хотела бы посидеть одна, молча.

— А как вас зовут?

— Не Лолита, — уже начала я понимать, к чему он клонит.

— Ага, к сожительству, — засмеялась собственной шутке Фортуна. — И что дальше?

— Вы не бойтесь. Я не отниму у вас много времени.

Услышав про время, Фортуна машинально посмотрела на часы в комнате, те показывали пять часов. Она вспомнила, что в пять должны были прийти гости. Она совсем забыла, что обещала помочь матери накрыть на стол.

— Как вы можете отнять то, чего у меня нет?

— Вот и прекрасно, снова смахнул он невидимые крошки со своих усов, — продолжала увлеченно Вика.

— Что вы тут делаете, такая очаровательная? — не унимался дед.

— Платье выгуливаю.

— Так вы здесь ждете кого-то?

— Да, мужа, — неожиданно пришло мне в голову.

— Что же вы раньше не сказали? — решил он навязать мне чувство вины. — Такая молодая, а уже замужем. Почему так рано вышли замуж?

— Чтобы всякие липкие твари не приставали, — поднялась я со скамейки.

— Уже уходите? Можно я вас поцелую на прощание?

— Боже упаси! У вас усы отклеятся, — не стала дожидаться я ответа и исчезла.

— Здорово ты его отшила, я бы так не смогла, наверное. И чего им неймется, пенсионерам большой любви, сидели бы внуков лучше нянчили. Слушай, к нам уже гости приехали, давай я тебе позже перезвоню или завтра, — услышала Фортуна приветственную возню в прихожей.

— Ок, давай, до связи.

* * *

Я тихо вошел в ванную. Она стояла ко мне спиной под душем, намыливая негромко Love Me Tender. Блестящая и голая, одетая в струю прозрачной бегущей ткани.

Я протянул к ней руку, независимость ее тела вздрогнула от неожиданности:

— Что ты меня пугаешь? Я думала, это кто-то другой.

— Размечталась.

Я поднял с пола ее белье и, приложив к губам, демонстративно вдохнул.

— Ну, Оскар, брось — оно несвежее. Ты любишь меня? Я чистая.

— А я грязный, — обнял я ее, прямо в облегающем платье воды, и проглотил в поцелуе. Через минуту она выключила душ, а я сорвал с вешалки большое белое полотенце, запеленал ее с головой, поднял на руки и понес в спальню.

— Можешь сделать мне одну вещь? — лежа в кровати, спросила меня Фортуна, пока я вытирал ее волосы.

— Какую?

— Приятную. Спой мне песню.

— Тебе — нет, твоему животу спою.

Я прильнул губами к ее теплой коже и начал петь Happy Birthday.

— День рождения еще не скоро. Другие песни в репертуаре имеются? — спросила она меня сквозь смех.

— Нет, могу еще на трубе, — начал я выдувать пузыри чмокающих звуков в ее кожу, как это обычно делают малышам. И тогда смех ее стал звонче и вышел за все рамки приличия. Но я был настроен решительно, мои губы двинулись ниже — целовать ее бедра, где пальцы уже аккомпанировали легкими прикосновениями.

— Сколько у тебя пальцев, — все еще пребывала Фортуна в неком сумасшествии.

— С утра было десять.

— Это не вопрос, у всех десять, а у тебя вроде как сразу сто, стоит только тебе прикоснуться.

— Стоит-стоит, даже не сомневайся. Какие у тебя холодные щеки, — нащупал я руками ее ягодицы.

— Согрей. Если летом я страстная телятина на вертеле твоей любви, которую можно есть сырой, то зимой — замороженный полуфабрикат, что требует специй и жара для обретения вкуса.

— Мне и зимой и летом вкусно.

— Что ты там рассматриваешь? — подняла она голову, чтобы взглядом найти мою, потерянную уже несколько лет назад в ее заповеднике любви.

— Изучаю ландшафт. Хочу составить карту, контурную, твоих достопримечательностей: впадин, холмов, долин, родинок.

— Почему контурную?

— Чтобы раскрашивать тяжелыми одинокими вечерами, — будто услышав меня, прошила наш вечер энергосберегающая лампочка луны. Комната наполнилась очертаниями предметов, которые прислушивались к мелодии, наполнявшей комнату, Back to Black Эмми Уайнхаус.

— Я хочу станцевать под эту мелодию когда-нибудь голой, — вдруг подняла она вертикально одну ногу из-под одеяла, словно это была ракета, готовая к старту.

— Для меня?

— Нет, ты не заслужил еще.

— А для кого?

— Для себя, — согнула она ее в колене.

— А ты, значит, заслуживаешь?

— Заслужу, надеюсь, если самокритичность не одолеет или скромность.

— И станешь заслуженной артисткой нашей спальни.

— Нет, бери выше — нашей независимой республики на улице Марата дом 201, квартира 4. Мы создадим государство только для двоих. В котором больше никто не сможет получить гражданство. В котором никто не будет нам указывать, как жить, с кем жить, зачем жить, никто не будет нас доставать. Кроме наших детей, — выпустила еще один шарик радужной фантазии Фортуна.

— Кто же будет президентом?

— Ты.

— Согласен. А гимн? Стране нужен гимн.

— Love Me Tender, — произнесла Фортуна, пока моя шея жадно целовала ее губы.

— Есть только одно неудобство в этом проекте — не выйти из дома без визы. Я не смогу так долго.

— Ничего. Со мною ты быстро научишься выходить из себя.

* * *

Во сне звонил телефон.

— Привет. Что делаешь?

— Сижу на работе, пью шампанское.

— Я бы тоже хотел так работать.

— Ты не сможешь.

— Почему?

— У тебя совесть. Начнешь открывать бутылку — разбудишь.

— Мне надо с тобой серьезно поговорить, — сказал он таинственно в трубку.

— О каком серьезном разговоре может быть речь, если ты даже не материшься?

— Я-то? — усмехнулся в трубку Антонио и замолк.

Я знал содержание этой тишины. Когда действительно накопилось, мы все больше затыкаем смысла между строк, не произнесенных вовремя, даже молчание не лезет в эту бездну, оттого мы молчим так громко, что не перекричать. Я слышал, как дышит его голос.

— Так серьезно поговорить или помолчать? — открыл я кран, чтобы набрать в чайник воды.

— Да, я хотел заехать.

— Хорошо, во сколько ты будешь? — грел я телефоном ухо.

— Так ты дома?

— Дома, дома. Позвони мне, как будешь рядом, зайдем вместе в магазин, а то мне нечем тебя угостить.

— Жрал, что ли, всю ночь? — пошутил он неожиданно. — Или перешел на хлеб и воду?

— На чай и сухари. А ты, похоже, пил?

— Что, перегар?

— Нет, но окно на кухне запотело, — отпарировал я.

Мне приятны были неожиданные нашествия Антонио. С его приходом в дом поступала приятная атмосфера доброй дружбы, которой от тебя не нужно было ничего, кроме участия. Найдется немного людей, способных вот так запросто рассказать о своих откровенных сомнениях, вытаскивая из себя то немужское, несмелое, незавидное, которое сидит себе в сердце каждого второго, зная, что его-то точно не выгонят, потому что оно находится под покровительством гордыни. Оно сидит и оплетает оверлоком швы неидеальной любви, то прибавляя ходу, то замирая, чтобы поправить зыбкую нить отношений. Чаще всего Антонио приносил с собой пару бутылок сухого. Хотя алкоголь здесь играл не самую главную роль, он скорее был декорацией, на фоне которой любые отношения могли стать ярче или тривиальнее, вспыхнуть или погаснуть.

* * *

— Как ты можешь вставать в такую рань? — оголил я свой зрительный нерв и нащупал им в полумраке утра любимую женщину. Она сидела на краю кровати, собирая, словно распустившихся за ночь детей, свои волосы.

— Любое, даже самое холодное зимнее утро может спасти кофе, его крепкие объятия, — не обратила она на меня внимание.

— Черт, я уже ревную, — жмурился я. В окно дуло яркое морозное солнце. Я снова уткнулся в перину.

— Тогда вставай и завари мне чаю.

— Нет, к таким подвигам я еще не готов, — бубнил я в подушку.

— Ладно. Можешь сделать мне бутерброд? Я страшно голодная, — сказала она и нырнула ко мне под одеяло. — Нет, сначала отнести почистить зубы.

— Бутерброд не обещаю, но зубы отнесу, когда они у тебя будут вставные.

— Неужели мы сможем так долго вместе?

— А почему нет?

— Нужна я тебе буду беззубая. Я же не смогу кусаться.

— Замерзла, да? Да ты вся дрожишь, иди, я согрею тебя, моя дрожайшая, — подтянул я стянутое полом одеяло, чтобы завернуть ее тельце.

— Не надо одеяла. Укрой собой.

Я послушно заключил ее в свои объятия.

— Что чувствуешь? — шепнула она мне.

— Легкое землетрясение.

— Только это не земля — это чувства, — всхлипнула она, и я увидел, как слезы застеклили ее окна.

— Ты чего, дурочка?

— А просто так, от зависти к себе самой.

— Некоторые способны делиться только завистью, за неимением других чувств, — пошутил я.

— Вот тебе чувства, — начала она гладить мое лицо ладонью. — Не брился. Я люблю, когда ты шершавый такой. Какое большое лицо. А почему у тебя так выпирает лоб?

— Это интеллект.

— Серьезно? Не замечала. А почему у меня нет?

— У тебя достаточно других прекрасных выпуклостей.

— Какие глаза! — провела она подушечками пальцев по моим векам.

— Какие?

— Небольшие, но дальновидные. Густые брови. Волосы, — добралась она до макушки.

— Что волосы?

— Отросли. Соскучились по парикмахерской. Грудь, — вернулась Фортуна к моему носу.

— Точно не грудь.

— Я хотела сказать, поцелуй меня в грудь.

— Слушаюсь, — исполнил я ее приказ.

— Теперь ниже, в живот. Теперь внутреннюю сторону бедра. Как классно! Лечу по воздуху, которому девятнадцать. Черт, а ведь мне уже двадцать один.

* * *

Ноябрь застеклил лужи и, включив кондиционер, остудил воздух, вынуждая людей поверить в то, что зима все-таки будет. Воскресная тишина питалась шагами редких прохожих. Впереди, покашливая, скрипел на правую ногу неопределенного возраста сосед в серой кроне старого плаща.

— Постарел, Буратино, — едко пошутил я.

— Довольно цинично для воскресенья, — осудил меня Антонио ровно на несколько шагов молчания.

— Правда? — начал анализировать я, что же такого сказал.

— Правда.

— А если это сосед?

— Все равно цинично, — не хотел он заново пересматривать мое дело.

— Ты хотя бы знаешь, кто такой циник? — пытался я доказать свою невиновность. — Это человек, который пытается шутить, когда ему хреново.

— Плохо себя чувствуешь? Мне кажется, тебе лучше, чем ему, — оглянулся на истца Антонио.

— Да, я так лечусь. Я глубоко уверен, что цинизм — одна из форм здорового оптимизма.

— Что ты видишь в этом оптимистичного? — появились у него вопросы к обвиняемому.

— То, что у Буратино ноги не мерзнут.

— Надо же было додуматься выйти в одних тапочках. Тебе не холодно? — вынес Антонио мне приговор условно.

— Да нет. Я всегда так хожу. Магазин-то совсем рядом. Замерз, что ли?

— Ну, так. Что ты хотел там купить?

— Яйца, хлеб, сыр, ветчину.

— Сказал бы мне, я по дороге мог зайти.

— Я так не могу. Ты же гость. Хотел напечь тебе своих фирменных блинов.

— А ты уверен, что в твоем магазине есть яйца?

— Есть, — открыл я перед Антонио дверь. — Я сейчас расскажу одну историю, она тебя согреет. Как-то, когда я только начал водить, сбил человека на переходе.

— Ты?

— Да, я. У вас яйца есть? — обратился

я продавщице, которая уже пристально изучала нас.

— Нет.

— Черт, хотел другу блинов напечь.

— Возьмите готовые, — поправила она свою прическу.

— А они съедобные?

— Весьма, пожарите минут пять, и готово. Вам с чем? Есть с мясом, вишней и творогом.

— Дайте всех по пачке.

— Так что там было с пешеходом? — все еще стоял брошенный мной на месте ДТП Антонио, когда мы выходили из магазина.

— Я ехал не очень быстро, километров шестьдесят, ранним утром. Откуда он выскочил, до сих пор не могу понять. Но успел нажать на тормоза. Что-то человеческое прокатилось по моему капоту, я остановился на обочине. Первая мысль: смыться. Со второй вышел, меня колотило. Мне показалось, что я вижу душу бедняги, которая отлетает и машет мне, уже осужденному за убийство. Странный утренний пешеход, скрюченный, лежал на асфальте, нервно теребя пакетик в руках. Я обрадовался:

— Ты живой?

— Черт, яйца!

— Что с яйцами? — нагнулся я к нему.

— Ты разбил мне оба яйца! — поднял он руку, от которой потянулась противная прозрачная слизь.

— Черт! — отвернулся я и еле сдержался, чтобы не вывернуло. Я отдышался: — Ну, давай в больницу, все расходы беру на себя, — помог бедолаге подняться.

— Тогда к магазину, с тебя четыре шестьдесят, — прихрамывая, двинулся к машине калека.

Странный человек покупал себе каждое утро на завтрак семьдесят граммов сыра, сто граммов колбасы, два яйца, это он мне уже потом рассказал по дороге.

— Счастливчик, — констатировал Антонио, когда мы уже зашли в подъезд.

— Кто?

— Оба! Как я тебя понимаю, — усмехнулся Антонио. — И его понимаю, а себя нет. Что со мной происходит? — полезла из Антонио откровенность, когда мы уже врезались в тепло, разуваясь и ломая каблуки о паркет в прихожей моей квартиры. — Никогда не видел в себе так мало мужчины. Чертова осень схватила меня за яйца. Напала какая-то хренотень, можно, конечно, назвать ее ностальгией, но это будет вранье: обнять некого, поцеловать некого, спать не с кем, ходишь один по лесу, а под ногами только палые прошлогодние чувства. Я даже не понимаю, что произошло, куда все подевалось. Ведь поцелуи всегда были нашим первым завтраком.

— А вторым?

— Второго не было, надо было бежать на работу, так и голодали друг по другу до самого ужина. И вот сейчас, когда она лежит в роддоме с моим ребенком, я все чаще задаю себе вопрос: люблю — не люблю?

— Ромашку дать?

— Лучше налей.

— Что-то ты раскис совсем, — накормил я продуктами холодильник из пакета. Затем достал холодную бутылку водки. — Может, сначала чаю? Согреешься.

— Хорошо, давай начнем с крепкого, — согласился он, устроившись за столом напротив окна.

— Вот как, по-твоему, выглядит модель идеальной семьи?

— Ложиться с женой, просыпаться с любимой. Зачем столько фольги? Говори по существу, — освобождал я от упаковки блины и выкладывал на горячую сковороду.

— Я все время вспоминаю одну и ту же бабу, которая у меня была на третьем курсе.

— Зачем ты засоряешь память? Надо вовремя избавляться от старой мебели.

— Да, но некоторых очень трудно забыть.

— Ты должен любить свою женщину, ту, которая рядом, она этого заслуживает, если не хочешь, чтобы ее полюбил кто-нибудь другой. Женщина словно татуировка. Ее замечают: одни критикуют, другие любуются. А где она будет у тебя красоваться — на руках, на шее, на груди или ниже, зависит от щедрости твоей души и фантазии разума. Только помни, что, если ты захочешь с ней расстаться, шрам в любом случае останется на сердце, если не у тебя, так у нее.

Неужели ты рассказал об этом жене? Зачем? Никогда не рассказывай женщине о других, если не хочешь чтобы это всплывало дерьмом в бурном потоке вашей любви, — зашел я ванную, вымыл руки, сполоснул свое сухое небритое лицо и вытерся.

Антонио уже сидел за столом. И листал попавшуюся под руки рекламную газету, из тех, что бросают в ящики бесплатно и без спроса. Я поставил разогреваться блинчики. Открыл форточку, закурил и стал внимательно всматриваться в лицо друга, лицо человека, высушенного малым бизнесом, теперь вот Крайним Севером, куда он мотался постоянно по вахтам за копейкой.

— Так ты продолжаешь с ней общаться? — выдохнул я дым в сторону открытого окна, потом поставил на огонь чайник.

— Нет, то есть да, недавно нашел ее в Интернете, написал ей. Говорит, что до сих пор одинока.

— Да нет одиноких женщин, это все миф.

— Может, и так.

— Ты что, женщин не знаешь? Возьми любую, ей же все время чего-нибудь не хватает: тебя, если ты слишком редко бываешь рядом, если тебя слишком много — то кого-то еще. Поэтому необходимо найти золотую середину, — отложил я сигарету и перевернул блины, которые теперь смотрели на меня манящим румянцем, источая приятный запах печеного теста.

— И где она, эта золотая середина? — закрыл газету Антонио.

— Там, где тебе не хватает ее, — в любовных разговорах с женщиной слова ничего не решают, пока не сделаешь из них предложение. А ты свое уже сделал. Повезло тебе с женой. Не перестаю удивляться ее мудрости, — попытался я усмирить накатившие на него эмоции. Что я мог ему пожелать, моему женатому другу? Только вновь обрести свою тихую гавань с выходом в открытое море.

— Да. Из всех женщин я выбрал самую умную, которая делает вид, что не знает об этом. Как твои подвиги, Геракл? Я давно хотел спросить о твоей испанской пассии. Еще общаетесь?

— Это же давно было. Ты бы еще мою жену вспомнил. — Слышно было, как забурлила вода в чайнике. Я не дал ему засвистеть, выключив газ. — Я пил этот ароматный напиток несколько дней и ночей, пока отпуск не кончился. Вернулся домой, а губы все жгло ее поцелуями, средиземноморскими, южными. После отлегло, остыло, — сделал я последнюю затяжку, затушил сигарету и закрыл стекло.

— Есть в жизни воспоминания, которые не остывают.

— Надо отдать ей должное, она была прекрасно сложена, будто сама природа аккуратно сложила все части ее гибкого тела в одну идеальную конструкцию, в один прекрасный футлярчик из теплой загорелой кожи, — подал я горячие блинчики в большой фарфоровой тарелке.

— Если собрать все твои связи, то можно связать свитер.

— Ты про случайные?

— Нет, из случайных вязать бесполезно.

— Слишком короткие?

— Не согреют.

— На самом деле, старик, вынужден тебя разочаровать: не было никакой испанской любви, я все придумал.

— Зачем? — сомневался Антонио.

— Не знаю, может, солнечный удар? Может, надоело быть нянькой для Фортуны? Мне же с ней приходилось вечерами бродить, вместо того чтобы с любовью.

— Все равно не верю.

— Ты же видишь, один живу, — потряс я пачкой чая в пакетиках. Достал пару и протянул один ему, другой открыл сам.

— У меня дома тоже такой. Ну и что?

— Для меня чай в пакетиках — верный признак одиночества. Один я как перст.

— Не может быть. Я думал, что у тебя на каждой полке по телке, — пахнуло мужицким юмором от Антонио. — Что, вообще никого нет?

— В том-то и дело. Плохо стало с женщинами, а с настоящими вообще труба. Я же без любви не могу.

— А ты с любовью к ним подходи.

— Подошел недавно к одной. Познакомился в час пик в метро. — Достал я из холодильника сметану и налил в глубокую пиалу, вспоминая, как поезд остановился на станции, лязгнуло железо, распахнув ставни, вагон сбросил пассажиров, а я продвинулся ближе к дверям. — Мне выходить на следующей. Стою. Но тут какая-то неведомая сила потащила меня за сумку. Пришлось выйти следом.

— Давай, сними пробу, — дал я вилку и нож Антонио.

— Да погоди ты! Что дальше-то было?

— Черт! — закричала девушка. — Что вы клеитесь?

— Честно говоря, с утра не до флирта, — отрезал я себе половину блина. Из него потекла сладкая вишневая кровь. Я уложил его себе в рот. Сочная горячая смесь вскружила мне голову.

— Ну и? — взялся за приборы Антонио.

— Ваша сумка липучкой приклеилась к моим чулкам.

— Что же делать? — начал я разглядывать ее ноги.

— Отцепитесь как-нибудь осторожно, колготки новые, — поправив прическу, выставила она красивую длинную ногу, добавив: — И дорогие.

Я смотрел на ее атрибут красоты и улыбался сам себе: неожиданно, чтобы утром, в метро, тебе предложили такое. Потом взял мягко за голень и начал скрупулезно отклеивать. Получалось довольно паршиво. Она внимательно наблюдала, как стрелки одна за другой поднимались все выше, не стрелки, а настоящие стрелы.

— Ну что же так долго? Вам плохо? — кончилось ее терпение.

— Да, кажется, одна из стрел попала мне в самое сердце.

— Если бы это рассказал не ты, а кто-нибудь другой, я бы не поверил, — достал сигареты Антонио, за рассказом спрятав в себя пару блинов. — Телефон-то хоть взял?

— Да, даже почти встретился.

— Почему почти? — затянулся он и закинул голову вверх.

— Не пришла.

— Значит, твой массаж ей не понравился, — засмеялся своей шутке Антонио.

— Еще, как назло, погода в тот день была на редкость неуравновешенной. Листвой хлестал дождь, мокрая сука осени приклеила меня к дереву, словно объявление: «Сдается мужчина, одинокий, трехкомнатный, на длительный срок, дорого (он любит, когда его зовут «Дорогой»), звонить по телефону, и номер». Никто не подходил, не читал это объявление, я стоял, ждал, мок, зная, что она уже не придет, — все еще возился я со своей едой. Да, теперь это уже было не лакомство, а еда, не прошло и десяти минут, вот так же и с некоторыми людьми, не замечаешь, как они становятся для тебя просто едой, ежедневной, необходимой, но едой, уже не лакомством.

— Почему женщины не приходят порой на свидания?

— Я совершил одну грубую ошибку. Я озадачил ее, но не дал отдышаться. Знаешь, как хорошему вину, его надо открыть и, прежде чем пить, дать отдышаться несколько минут.

— Ты же знаешь, я вино не люблю.

— Это не так важно, в общем, потом его можно пить, сколько душе угодно.

— Ты хотел сказать, ее?

— Ну да, ее. Если вино кислит, значит, ты недостаточно охладил его своей страстью. Любовь — это искусство, где любая ерунда может как вдохновить, так и разочаровать.

— Где ты только их находишь? Складывается такое впечатление, что женщины просто преследуют тебя.

— Нет, просто я ими дышу. Когда их нет рядом, будто кислород заканчивается. Жизненная необходимость, понимаешь? Да и работа. Кто, думаешь, ходит на эти тренинги личностного роста? Женщины в основном, мужчине, прежде чем переступить порог наших курсов, необходимо признать свою неполноценность, некомпетентность, отсталость от жизни, если хочешь. Позвонить нам — значит переступить через себя. А кто на это готов? — Очень немногие. Женщины активнее, смелее, а главное — любопытнее. Сейчас поедим, и я тебе расскажу еще одну историю.

— Я тебе тоже расскажу еще одну историю, может, не так красочно, как ты, но не суди строго. Я шел по тротуару, рядом — девушка, мы двигались с одинаковой скоростью, почти касаясь друг друга. Казалось, даже шаг в шаг, в руках у нее трепыхалась оранжерея живых красных роз. Мы, незнакомые абсолютно, соседи по тротуару, просто совпали по времени. Шли люди навстречу, после они долго оглядывались. Я чувствовал, нам завидовали. Некоторые — мне, некоторые — ей.

* * *

Я проснулся на заре. Сон ушел чуть раньше, не дождавшись рассвета. Рядом спала Фортуна. Слышно было теплое дыхание: ее голова повернута ко мне, она смотрела затворенными глазами, рот чуть приоткрыт, будто она не решалась что-то сказать, что-то очень важное, например: «хватит храпеть», или «сними с меня свою ногу», или «у меня есть другой», или «поцелуй меня, я уже закрыла глаза». Правая ее рука прижилась на моей груди. Мне пришлось выселить ее восвояси. Я откинул одеяло и поднялся.

Подошел к окну, посмотрел в забрызганное осенью стекло и подумал: «Зачем так долго, зачем так часто барабанить с утра прямо в голову, я давно уже понял тебя, дождь, ты капля, одна большая, расчлененная на части, — пытался я остановить пальцем ее ход. — Ты хочешь непременно, чтобы я выглядел таким же вот разбитым и несчастным. Нет, не пройдет», — но тщетно, струйка, не обращая внимания на мои пальцы, устремилась вниз. Я находился по ту сторону дождя, в одних трусах, но это не мешало мне мыслить философски. Как это приятно — находиться иногда по ту сторону.

«Я понял тебя, дождь, ты мокрый, можно даже не трогать». И это ощущение холодного окна позволило продолжить мысль, будто посредством своего пальца, которым я двигал по стеклу, словно улитка гибким телом, оставляя туманный след, соединил собственное мироощущение с мозгом и последний мне телеграфировал короткими фразами: «Я понял тебя, дождь, ты сука, унылая, тоскливая, которую никто не хочет, и каждый, кто тебе поверит, смертельно болен, я понял тебя, смерть — ты жизни, я понял тебя, мир — ты войны, я понял женщину — она единственная, тогда как связи — они случайны, я понял деньги — вы кончаетесь, я понял тебя, работа, ты постоянна, я понял роботов, они талантливы, я понял труд, он в тягость, я понял отдых — это сон, все остальное было только заменителем, сон — он сладкий, я понял — сладость растворима, я понял счастье — ты стерильно, ты рядом — достаточно переключить программу, я понял радость, ее больше в детстве, я понял горе — это больно, и пережить его — значит стать безумно сильным, я понял слабость — это недостаток сердца, я понял сердце — это бойня за любимых, я понял силу — она в любимых: в любимых вещах, уголках, стенах, окнах, глазах», — оторвал я палец от стекла, и связь прервалась. Одиночество выедало меня потихоньку. По частям. Я ясно ощущал, что с каждым мгновением меня становилось все меньше, и вот уже от меня осталась всего половина. В поисках второй я снова лег на диван и прижался к теплу Фортуны. Это был самый простой тест на знание «Твоя ли это женщина». Достаточно было лечь рядом, чтобы понять: она греет, она не ворчит, она любит в любое время дня, в любое недомогание ночи. Я провалялся там еще час, листая журнал о фото. Фотографии были красивые, но цветные.

* * *

На паркете темного лакированного пола лежала тень дня, как будто ее кто-то бросил неосмотрительно под ноги и забыл. Стеклянной красной струйкой спокойно разливалась бесполезная беседа, стройность пластиковых ног стола и стульев переплелась с нестройностью людских, но, так или иначе, все оказались заложниками осужденных стен. Одни молчали безответно, другие наполнялись жидкостью, многозначительно целуя сигареты, прикуривали, скрывая в клубах дыма выражение скуки и тоски, видимо, они осознавали: нет истинного в беспредметном, как и преступного в вине. В то время как усталый день гноился солнцем и скитался по задворкам города, его тянуло всеми фибрами в тяжелый сон, однако спать нельзя, потому что для многих это означало ночь промаяться в бессоннице. Он, одноглазый, стоически держался, наблюдая, как люди не переставали пить и есть в им освещенной небольшой квартире мира, закрытой от него редкими кусками ваты, их разговор, где точка зрения делила текст, как запятая, ему был скучен и неинтересен. Мне тоже была неинтересна пьяная болтовня соседей, что без спроса лезла в уши.

Иногда мне казалось, что я спокойно мог оставить Антонио, выйти в мир за новой порцией впечатлений, вернуться как ни в чем не бывало, а он все так же спокойно жевал бы свою газету, травил байки, успев между колонками слетать несколько раз на вахту.

Этими новыми впечатлениями была Фортуна, как для меня, так и для них. Я действительно вышел, когда стало известно о наших с ней отношениях, когда позже она переехала ко мне. И сейчас эта тема была слишком трогательной, чтобы ее обсуждать. Будто бы я действительно вышел подышать свежим воздухом или еще куда, оставив Антонио и Лару наедине со своими мыслями, дав им возможность взглянуть на свою жизнь с высоты птичьего полета, куда они взмыли, подгоняемые потоками ущемленной гордыни. Я вернулся, как только ветер стих, как только они снова опустились на землю.

— А, собака, не хочешь делиться секретом! — забасил Антонио громким пьяным смехом. — Сколько тебя помню, ты всегда пользовался успехом у женщин. Как тебе это удавалось?

— Буквально, к примеру, подходит к тебе мисс этого кафе и говорит: «Можно попользоваться вашим успехом?» Разве сможешь ты отказать? «Бери».

— Да хватит уже, я же серьезно. Хотя я знаю, за что любят тебя бабы, — за слова, — продолжал вытряхивать из сосуда фрукты Антонио. Официантка, заметив это, принесла ему вилку.

— Что я говорил? Женщины любят искренность, отвечая на это щедростью, а слова — так, обертка, — я провожал взглядом стройные бедра.

— Иногда это выглядит довольно странно, — пытался уже манипулировать вилкой Антонио, понимая, что руками у него выходило ловчее.

— Если ты про свою, то, какими бы они ни были странными, женщин надо любить и удовлетворять, для всего остального существуют мужчины. — Я понимал, что брак их давно уже трещит по швам, что им обоим было уже неприятно ходить с этой дырой, однако, как ее залатать, они не знали. Мне жутко не хотелось, чтобы они разводились. Но чем я мог его поддержать? Только словами.

— Откуда тебе известно, что подумал о ней?

— А о ком тебе еще думать? Если женщина притворяется, то в лучшем случае она ищет себя рядом с тобой.

— А в худшем?

— А в худшем уже потеряла. Связь есть сила притяжения двух космических объектов любви, которая способна как сократить расстояние между ними до ноля, так и разбросать их по разным галактикам. Мне кажется, иногда просто необходимо менять работу. Желательно ближе к жене. Ты же занимаешься здесь парашютами, вот и занимался бы. Да и мне без тебя не прыгается, ты мой инструктор, мой талисман. Может, хватит с тебя Севера? Это же был крайний... — задумался я, выбирая между Севером и случаем, и выдохнул: — Случай. Твой Север не настолько крайний. Ты же не хочешь оказаться крайним в своем доме?

— А что дома, все одно и то же, — оставил в покое кувшин и вытер руки салфеткой Антонио.

— Представляю: приходишь, шкурку свою — на диван, ноги — в тапочки, тело — в ванну, если будет не лень принять ее, зубы — в котлету. Поговорить даже не с кем, все разбегаются по своим ноутбукам. Вместо жены согревает кошка. Чувствуешь себя лишним.

— Лишним, — грустно отдалось вино в голове Антонио.

— Ну это понятно, тебя же не было месяц. Им нужно акклиматизироваться. Представь, как ты приезжаешь. Трясешь своей скукой, пусть даже это была скука по твоим родным людям. Вы общаетесь на разных языках, потому что им здесь не было скучно, они не скучали без тебя, — я сделал знак официанту, чтобы тот принес счет.

— Да дело не в скуке, они обижаются на всякую чушь.

— Так ты, наверное, начинаешь командовать ими?

— Да нет, не командую. Но порядок люблю.

— Вот-вот. Доказываешь, что ты по-прежнему мужчина в их доме, единственный и непререкаемый. А им командир уже не нужен.

— Я вообще не понимаю, кто им нужен, кроме Интернета. Дай мне хлеба!

— Конечно, ты даже слова «пожалуйста» не знаешь. — Я протянул ему корзинку.

— Знаю, но не использую, — взял кусок хлеба Антонио, затянул носом его аромат, откусил и положил обратно.

— А дома?

— Ни в коем случае.

— Сразу видно — не филолог. Не нравится слово «пожалуйста», используй вместо него уменьшительно-ласкательный суффикс: «Дай мне хлебушка». Чувствуешь разницу?

— Ну, мягче.

— Да, даже хлеб мягче стал. И тебе с радостью его передадут. Все связано из тонких узоров слов. Если ты хочешь отношений, надо ко всем относиться по-человечески. — Официант, словно студент на экзамене, положил на край стола зачетку со счетом.

— А если я по-другому не умею?

— Научись. Мысли тяжелые отложи, смой, если они дерьмо, член похорони в ямке любимой, думай о безнадежно хорошем, хотя бы у себя дома. Знаешь, в чем заключается любовь к ближнему? В том, чтобы находиться рядом с ним, как бы далеко его ни послала жизнь.

— Хорошо, я попробую в следующий приезд. Дай мне счет! Сколько там?

— Сегодня же. Не надо откладывать дела на завтра, иначе завтра они отложат на тебя, — уже сунул я купюры в портмоне ресторана.

— Я понимаю, о чем ты говоришь. Я приезжаю домой, и мне кажется: вот здесь я сейчас буду счастливым. Черта с два. Уснул счастливым, проснулся разбитым. Там, на вахте, я хоть с природой могу пообщаться.

— Каждый одинок настолько, насколько влюблен в себя и в природу.

* * *

Седая щетина мороза покрыла землю, природа торжественно замерла в ожидании выходных, но людям было не до утра. Листья, словно птицы, слетались на землю при каждом новом порыве ветра. Природа сбрасывала последнее. Сколько раз я шел по мосту, пытаясь представить, насколько холодна вода. Сколько раз я мысленно заставлял себя в ней очутиться, задавая себе один и тот же вопрос: сумею ли я доплыть до берега. «Не успею», — взглянул я на часы. Я, по обыкновению, опаздывал минут на десять и прибавил шагу, увидев, как Фортуна махала мне рукой с набережной.

— Обожаю встречаться в городе, — уже усаживаясь за столик кафе, отметила Фортуна.

— Да, это тебе не на кухне, — любил я ее губы, не обращая внимания на посетителей.

— Кухня приелась, просто необходимо иногда ее разнообразить, — отклеила она от моих свои губы.

Мы заказали пироги с мясом и с брусникой. Под легкую музыку французской певицы, которая все звала танцевать. Но никто в этом заведении не способен был бросить свою выпечку ради француженки, никто не хотел рисковать. Вдруг динамо: ни пирогов, ни женщины, ни настроения? Чуть поодаль от нас за соседним столиком было слышно, как несколько старомодно взрослый мужчина пытался познакомиться с девушкой.

— Еда за соседним столиком всегда вкуснее, — увидел я, как Фортуна внимательно следила за развитием событий.

— И разговор интересней, — рассмеялась она. — Только холодно, — кивнула в сторону парочки она.

— Ага, минус десять.

— А может, разница даже больше. Какой-то он слишком серьезный.

— Мяса поел, теперь можно и развлечений, — понимающе добавил я. Мужчина неожиданно посмотрел на меня приветливо, будто хотел объявить благодарность за поддержку.

— Я бы на месте этого мужчины взяла

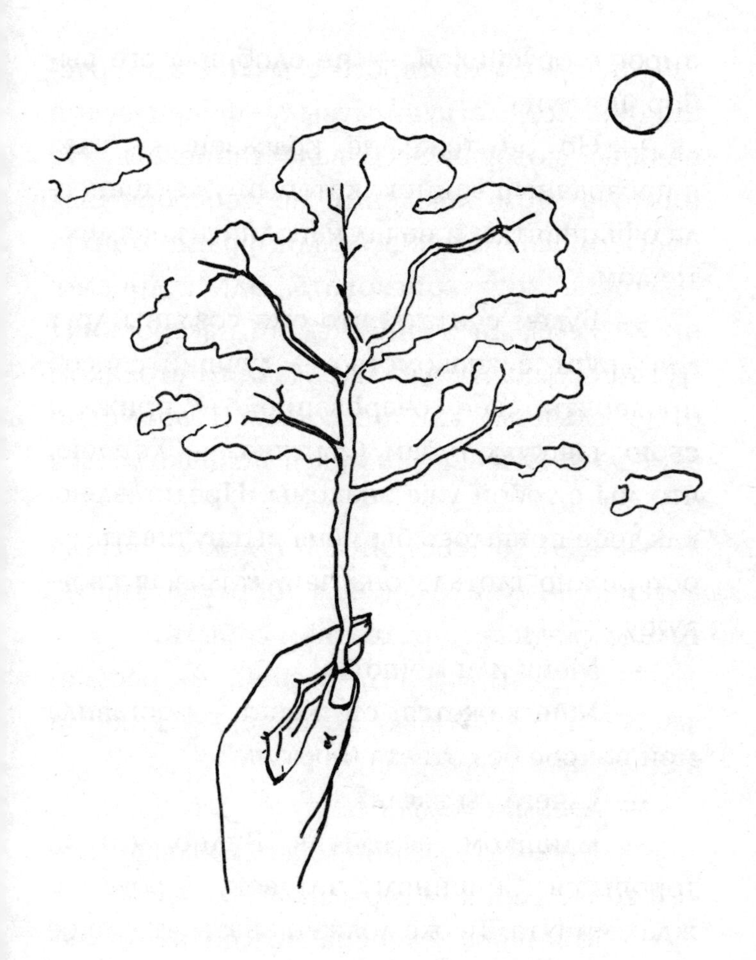

пирог с брусникой, — не одобрила его выбор Фортуна.

— Но он тоже не красавец, — взял я прозрачный чайник, который уже принесла официантка, и начал наполнять керамику теплом.

— Будем считать, что они созданы друг для друга, а знакомство — лучший способ проверить свое очарование, — прижала свою чашку к губам Фортуна. — Хорошо, что мы с тобой уже знакомы. Представляю, как тебе пришлось бы меня выкручивать! — осторожно глотала она чай, согревая свою душу.

— Меня или меню?

— Мне кажется, он женат, — оставила мой вопрос без ответа Фортуна.

— С чего ты взяла?

— Слишком настойчив. Видно, что он торопится. Семейному человеку дорога каждая минута. Ты же должен знать, что такое флирт для семейного человека.

— Откуда? — мял я в руках пакетик с сахаром, не собираясь им пользоваться.

— Флирт — это такая форма существования, при которой очень хочется познакомиться с новым, но совсем не хочется расставаться со старым.

— Почему мы не познакомились раньше?

— Раньше — никак, я проснулась только в полдень.

— Да, будь ты заинтересована, проснулась бы раньше.

— Знал бы ты, с кем я сплю.

— Я его знаю.

— Нет, ты их не знаешь.

— Их так много?

— Да, они приходят один за другим.

— Черт, я понял, кто это, они к нам приходят одновременно. Тебе не кажется, что люди слишком зациклены на сексе?

— Да, особенно когда им кажется, что это и есть любовь. Или ты про нас? — посмотрела Фортуна на Оскара, будто встретила его впервые.

— Я в общем.

— Мне кажется, он ее к этому и склоняет, — пошутила Фортуна, увидев, как им принесли вина.

— Ты плохо знаешь мужчин, весь интерес только к формам, я же люблю твою душу.

— Разве я виновата, что так прекрасна, — демонстративно поправив прядь и уложив ее за ушко, щелкнула на меня ресницами Фортуна.

— Нет, но зачем всем доказывать, выпячивать красоту наружу?

— Скромность меня угнетает, я хочу крикнуть миру, всем мужчинам как можно громче: я красивая, я прекрасная, сексуальная, если бы не этот ревнивец, могла бы быть с вами.

— Тише, ты можешь спугнуть пару.

— Что же он ей такого говорит, что она постоянно улыбается?

— Читаю по губам: «А что вас больше всего интересует в женщинах: внешность или достаточно содержания?» Он улыбнулся, вращая за талию в руках прозрачный бокал: «Вы правы, стекло привлекательно, но я предпочитаю вино».

— Вдруг она тоже замужем?

— Катастрофа. Тогда у него никаких шансов.

— А если бы он, к примеру, купил еще и цветы? — указала Фортуна ложкой на одинокий цветок, вдавленный в фарфор тарелки, росший под пирогом. Она отрезала себе.

— То есть он все время носил бы цветы с собой, на всякий случай?

— Да, и несколько стихов наизусть.

— Собственного сочинения?

— Само собой.

— Почему бы и нет, если считать, что в этом городе самое больше количество поэтов и психов на душу населения.

— А это не одно и то же?

— Нет.

— А этот на кого больше похож?

— Сразу не скажешь, а спрашивать неудобно, да и небезопасно. Я знаю одного, но это точно не он. Тот выходит каждое утро на набережную, выгуливать каменных сфинксов, которых там установили двести пятьдесят лет тому назад, — смотрел я на официантку, которая уже несла нам пироги.

— Он что, тоже с цветами ходит?

— Нет, с сахаром, — все теребил я в руках пакетик с сахаром, пока тот не порвался и не рассыпался сухим плачем на блюдце.

— Насколько я знаю, сфинксы дрессировке не поддаются, — улыбнулась Фортуна не столько собственной шутке, сколько брусничному пирогу, который уже манил ароматом и хрустящей корочкой своего очарования.

— Да, в отличие от тебя, они не берут из чужих рук, — отрезал я кусок, насадив на вилку, и протянул ей.

— А вдруг она тоже не берет из чужих рук? Скажет ему: «Что это?» — проглотила Фортуна очарование.

— Цветы.

— Я вижу, что цветы. Что это значит?

— Ничего не значит, — отрезал я ей еще пирога.

— Думаешь, если купил женщине цветы, то всё?

— Что — всё? — задержал я вилку в воздухе, когда губы Фортуны уже открылись, и неожиданно спрятал пирог за своими губами.

— Можно с ней все?

— Нет, что ты, — следующий кусочек брусничного лакомства достался Фортуне.

— Я купил тебе еще квартиру, машину,

теплые шерстяные носки для зимних, связанных из наших встреч вечеров. А цветы взял на сдачу.

— Мне всегда не хватало мужчины, — пододвинулась Фортуна очень близко, лаская рукой чашку чая.

— Мне — женщины, — взял он в руку ее ладонь.

— Что же мы время теряем? — она явно была не против.

— Не знаю, — он сжал ее осторожно.

— Вы же только что мне сказали, что заняты, — посмотрела она тревожно.

— Я соврал, — он ответил спокойно взглядом.

— Я не поверила, — улыбнулась она.

— Начнем с поцелуев? — губы его шепнули.

— Да, мне бы только стереть помаду, — прижалась она к его сильному телу.

— С этим я разберусь, главное, чтобы не было грима на чувствах, — поглотил ее в пучине своих объятий.

— Как сладко, аж липко стало. Не люблю липких мужчин, — вытерла губы салфеткой Фортуна.

— Этот, по-твоему, липкий?

— Любой мужчина покажется липким, если у девушки уже есть любимый.

— Ну про тебя понятно, а у нее-то есть?

— Судя по всему — нет, раз она до сих пор не ушла.

— Может, она ждет, пока он закажет ей мороженое?

— Либо она стесняется отшить его. Мне кажется, для скромной девушки это довольно сложно — отшивать.

— Лучший способ сбить с толку каким-нибудь вопросом: «А вы какими волосами шампунь моете?» или «Вы меня не проводите?».

— До дома?

— До оргазма, — поцеловала меня Фортунаируснично и сразу же добавила: — Я живу здесь близко.

— Я сразу так и подумал, — прижал я ее к себе, положив одну руку ей на грудь.

— Что подумали?

— Что ближе у меня никого нет.

— Так вас подбросить?

— Спасибо, я уже летаю, — закинула

она голову. Это означало только одно: поцелуй меня в шею.

— Я имел в виду — подвезти, — удовлетворял я просьбу под французский аккомпанемент.

— Вот и я говорю, мне уже подвезло, — закрыла она глаза.

— Просто я на машине.

— А я на седьмом небе, представляете, мало того, что я в него, так и он оказался в меня влюблен.

* * *

— Скучал? — ответила Фортуна в трубку на его приветствие. Поначалу она всегда ждала его звонков, но в какой-то момент, поняв, что это бесполезная трата времени, накрыла свою гордость, словно птицу в клетке, куском материи, чтобы та не каркала, и спокойно звонила сама.

— Мой отец? — улыбнулась сама себе Фортуна.

— Привет ему передавай.

— Да. Что делаете? — хотела она еще и еще слышать его голос.

— Откровенные? — представила она, с каким лицом сидел сейчас отец у Оскара и что думал, осознавая, что на другом конце какая-то женщина.

— Ладно, не буду отвлекать, — стало Фортуне неприятно от этой мысли.

— При встрече. Целую тебя всеми своими фибрами, — положила она трубку на стол и, взяв в руки книгу, легла на кровать. Успела выхватить оттуда пару страниц, когда в двери заворочалась ручка.

— Не помешаю? Читаешь? — зашла Лара в комнату дочери, которая лежала на боку с Набоковым.

— Проходи, конечно!

— Я читала это, — посмотрела мать на обложку.

— Да? Ну и как тебе?

— Если бы мужчина мог представить, что творится в голове одинокой женщины...

— Да уж, это представление не для слабонервных, — закрыла Фортуна книгу. — Мама, ну что ты опять осень на себя нацепила? Ты же хочешь быть всегда молодой и красивой?

— Хочу. И что из этого? — села мать рядом с ней.

— Женщине ни в коем случае нельзя предаваться плохому настроению. Ничто так не портит лицо, как уныние.

— Согласна, осенью без любви никак нельзя. Иначе она непременно превращается в зиму. А где твой? Как его? Нил, кажется. Ну, который цветы каждое утро приносил. Пропал куда-то.

— Ну, во-первых, он не мой. Во-вторых, нужны мне были его цветы. Ботаник чертов. Отшила его уже давно, считай, что он гербарий в альбоме моих поклонников.

— Почему?

Дочь замолчала и снова взяла в руки книгу.

— Я смотрю, ты зациклилась на нем.

— На ком?

— Ты думаешь, я ничего не вижу?

— Что именно? — Фортуна испугалась, что мать уже в курсе.

— Хотела от тебя услышать.

— Мама, ты так говоришь, будто никогда не любила.

— Любила, вот и говорю, смотри, не сбейся с цикла. Никогда не связывайся с мужчинами много старше себя.

— Почему?

— Ты можешь привязаться, пока тебя будут медленно распускать.

— Откуда ты знаешь, что он старше меня? — новая волна страха пробежала по лицу дочери.

— Догадываюсь, — соврала мать.

— Он действительно старше, зато он настоящий мужчина. Это отражается в его словах.

— Что в них такого особенного?

— Игра света и тени: что бы я ни натворила, он всегда освещает так, что тень падает только на него.

— Любовь? — положила Лара на белокурую голову Фортуны ладонь, будто та хотела покататься с ее глади.

— Не знаю, если ты мне скажешь, что это такое.

— Любовь — это оказаться в нужное время в нужном сердце, — скатилась ее рука с горки и взобралась для нового спуска.

— В нужном сердце, — задумчиво повторила Фортуна.

— Ну так что, влюбилась?

— Видимо.

— С чего все началось?

— Разве ты не знаешь, с чего обычно начинается сильное чувство? С пустяка.

— Может, скажешь, кто это?

— Оскар.

— Что? Ты шутишь? — обрадовалась мать, что дочь не стала ей врать.

— У меня не настолько сильно развито чувство юмора, чтобы шутить так цинично.

— Для тебя он дядя Оскар. Ты разбиваешь мне сердце.

— Я понимаю, что он персонаж не моего романа, но оставить его не могу.

— Почему?

— Чертовски красиво играет.

— Вот именно, что играет.

— Мама, ну я же люблю его! Я еще раньше чувствовала, что люблю его, но не знала, что с этим делать: раствориться в нем, как сахар в крепком кофе, так он же выпьет меня всю без остатка в два глотка. Что от меня останется? Один осадок. На котором он сможет потом только гадать: «Сколько раз надо будет ее послать, чтобы она больше не звонила, не писала, не ждала?» Или же послать его подальше, пока не началось растление души, забыть, пока есть память, подумать о себе, пока есть ум.

— Ты уже спала с ним?

— Разве это имеет значение? Я все время хотела спросить, почему у вас с отцом все так странно: он там, ты здесь. Я могла бы понять, если бы это была любовь на расстоянии, но вы же и вместе как кошка с собакой, — перевела стрелки Фортуна.

— У нас так много любви, что жить вместе не получается. Потому что уже через несколько часов общения мы настоящая гремучая смесь молчания. Как это можно контролировать, я не знаю.

— Как кофе. Ты же знаешь, как варится кофе? Терпкий, насыщенный, ароматный, заливаешь водой и ставишь его на огонь, медленно греешь, чувствуешь, как в нем закипают чувства, как чудовищно притягательный запах заполняет все пространство, и в этот момент страсть, скучавшая в недрах, начинает подниматься. Вот этот момент самый главный в отношениях, надо быть очень внимательными и чуткими друг к другу, чтобы страсть не выплеснулась наружу, не потеряла вкус и не залила огонь. Просто пить небольшими глотками и получать удовольствие.

— Тебе лишь бы удовольствие получать.

— Да не спала я с ним еще, если тебе это так важно. Ну что ты молчишь? Не ты ли мне говорила: «Если ты встретила свою любовь, не вздумай игнорировать или бежать, второго шанса может и не предоставиться, тем более есть риск споткнуться и лечь без любви, и это будет самым грустным падением в твоей жизни».

— Я думаю, почему ты не пошла на филфак, — не знала Лара, как ей реагировать на такую правду, — ну или хотя бы в журналистику? Какой из тебя технарь, вон ты какой вкусный кофе сварила.

— Спасибо, один филолог у нас уже есть. Если ты про кофе, то это не мое, цитата из какой-то книги.

— Когда ты уже будешь любить себя, как ты не понимаешь, что иначе...

— Что иначе?

— Иначе тебя полюбит какой-нибудь придурок.

— Он точно не придурок.

— Так что ты ждешь от этой любви?

— Ребенка... Я шучу, — обрадовалась Фортуна, что мать осталась в себе после такого признания, и позволила себе эту вольность. На самом деле мать уже давно не находила себе места, она ждала возвращения отца, чтобы вынести приговор дочери.

— Я не скажу за все желания. Но могу озвучить главное: чтобы он хотел меня до последней капли жизни.

— А если это окажется банальной случайной связью?

— Я не верю в случайные связи. Мое сердце не гостиница. Там нет номеров на ночь.

* * *

— Ах ты проститутка! Как же ты могла? Он же тебе в отцы годится! — сорвался голос Лары на истерический.

— С отцами не спят, — на последнем дыхании тихо оборонялась Фортуна.

— Ах ты сучка! — сорвала мать со стула полотенце, замахнулась и начала бессильно хлестать воздух. Будто пыталась прибить только ей одной видимых мух.

Фортуна молча улыбалась сквозь накатывающийся шторм слез:

— Назло.

— Ты еще будешь над матерью издеваться! — вскочил, не дождавшись конца спектакля, отец. — Пошла вон из моего дома!

— Не забывай, он и мой тоже! Уйду, когда захочу!

— Ах ты падаль! — не выдержал Антонио и, схватив свою дочь за руку, потащил из комнаты к выходу.

Та сопротивлялась, как могла, сильным рукам, пока ее стройное худое тельце не завалилось на пол. Тогда отец бросил ее руки, ловко подхватив с пола ноги дочери, и поволок дичь по гладкому ламинату. Фортуна по инерции схватилась за скатерть, свисавшую со стола, и увлекла за собой еще большую стеклянную вазу с красными блестящими яблоками. Ваза грохнулась, подпрыгнула как-то нелепо и со второй попытки рассыпалась на сотни разнокалиберных вазочек.

Яблоки шумно покатились, вообразив себя шарами в кегельбане. Все замерли, словно в ожидании страйка.

На шум прибежала младшая сестра Кира, словно тоже хотела поучаствовать в намечавшейся здесь большой игре. Однако быстро поняла, что игра уже вышла за рамки дозволенного, стала собирать с пола яблоки, пытаясь занять себя чем-нибудь, пока будет доиграна эта жуткая сцена. Закончив работу и не найдя слов против рухнувшей на дом тишины, подняла одно из сбежавших от хрусталя яблок и откусила. Так и стояла, в то время как в доме менялись декорации: Фортуна... Чуть позже она зашла в комнату сестры, подошла к кровати и, не зная, чем еще утешить и поддержать, осторожно начала гладить соломенную копну ее теплых волос, чувствуя, как все еще вздрагивало от затихавших всхлипов тело сестры. Большие карие глаза Киры выражали то самое трепетное сочувствие, которое появляется в детских глазах при виде бедных бездомных животных. Две косички из темных волос торчали словно антенны, следящие за колебаниями в доме. Так как ее длинными волосами занималась мама, то Кира уже по цвету ленты научилась определять настроение матери. Синий, как сейчас, всегда обещал похолодание.

Кира, которая «вечно лезла не в свои дела», по словам сестры, уже подросла вместе со своим характером, не похожим ни на отца, ни на мать. «Вся в бабушку», — говорила о ней мать, когда та предусмотрительно брала с собой кусок хлеба, всякий раз выходя на улицу. Нет, не для себя: ее, приятную, симпатичную, добрую, любили кошки и собаки. Едва заметив, они лезли к ней в руки, в поисках ласки и корма. Что их тянуло, непонятых, беспомощных неврастеников, к которым так привязано человечество, не поддавалось обычному объяснению. Они подбегали, заискивали, строили глазки, любопытные, незнакомые, разные. «Черт-те что тебя любит!» — нервничала по этому поводу мама.

* * *

Через час Фортуна очнулась в постели с телефоном в руках. Открыв глаза, она обнаружила сплошное безразличие к жизни. Чудовищная пустота зияла холодной луной сквозь стекло. В сумерках своих вещей она близоруко различала знакомые тени предметов. Даже в линзах она не видела на единицу, и это давало лишний повод воображению поиграться с фантазией. Она искала какую-нибудь теплую тень, за которую можно было бы зацепиться, чтобы не было так одиноко и тоскливо. Предметы воодушевились, тем более сегодня, когда одушевленных в доме стало меньше. Она вытянула из-под кровати ноутбук, открыла его и провалилась в Интернет. Именно здесь сейчас хотелось отлежаться, как в реанимации, чтобы прийти в себя, чтобы понять, как любить дальше. Сообщение было от самой близкой подруги, словно та была в курсе событий. Она постоянно присылала ей какие-то стихи и цитаты. В этот раз как нельзя кстати:

— Думайте обо мне плохо
мне это начинает нравиться
по крайней мере не надо
льстить
думать что говорить
о ком

как говорить
как есть
сколько пить
с кем спать
до скольки
думайте обо мне плохо
я буду жить именно так
пока вы умираете от тоски.

— Спасибо за стихи, очень кстати, чье это? — ответили ее пальцы.

— Не мои. Нашла в одном паблике. Как у тебя дела?

— Нормально.

— А что пальцы дрожат?

— В смысле?

— Буквы пропускаешь.

— Ах да, так получилось. Если честно... Я только что из ада.

— Черт, я тоже хотела бы там побывать. Что случилось, Фортуна?

— Завтра расскажу в универе, долго писать и больно.

— Больно?

— Как вспомню, будто кожу с себя снимаю.

— Хорошо, до завтра.

* * *

Фортуна позвонила в разгар занятий с новичками, которых я вел за собой уверенно и спокойно, которых я должен был вырастить до состояния вечного успеха. У телефона был выключен звук, и он нервно вибрировал в кармане моих штанов, будто электробритва, которая неожиданно включилась, чтобы сделать мне интимную стрижку. Я знал, что это Фортуна. Только ей мог бы сейчас в этом довериться. Я оставил группу, дав задание капитанам, и вышел в холл.

— Сматываем удочки? — встревоженно прокралась Фортуна через трубку в мое ухо.

— Какие удочки? Ты можешь говорить нормально?

— Нет.

— Ты не одна? — представил я, как над ней стоят Лара и Антонио и диктуют ей глазами текст, который у нее извилина не повернулась выучить наизусть.

— Да. Мы больше не сможем встречаться, — ударила меня током ее фраза.

— Почему?

— Не задавай глупых вопросов. Ты сам все прекрасно знаешь. Мы слишком разные.

— Разве этого мало? — попытался шуткой смягчить я ее тон.

— Мало, чтобы строить на этом отношения. Вместе у нас нет будущего, — не поддержала она меня, произнося казенные, навязанные родителями слова, — к тому же родители все знают.

Я ясно осознал, что в этом момент со мной разговаривали Лара с Антонио голосом Фортуны.

— Они рядом стоят?

— Если бы, они висят на моем горле мертвой хваткой.

— Давай я тебе позже перезвоню, после занятий.

— Умоляю тебя, не надо, — сорвалась на плач Фортуна. — Не звони мне больше!

— Хорошо, только с одним условием!

— С каким?

— Ты позвонишь мне сама, — пытался я не терять духа.

— Нет.

После этого слова в холле сразу стало сыро и неуютно. Голос Фортуны зачмокал, слова слиплись в одно тяжелое рыдание. Она повесила трубку. Машинально я сразу перезвонил. Абонент вышел из зоны моего сострадания. Мое «Я» съежилось в стенах большого помещения, оттого что я не мог ничем помочь. Я почувствовал себя путником в ночи, который потерял на небе ту самую звезду, что должна была указать ему единственно правильный путь к счастью. Я знал, что рано или поздно это должно было случиться, поскольку от нас с Фортуной так сильно несло любовью, что Лара, как мать, должна была почуять это. Чувствами несло от нас, от обоих, нас стало слишком двое на счастьем выстеленной дороге. И до этого звонка меня ничто не пугало, точнее, до этого молчания. Гораздо хуже чувствуешь себя, когда не можешь дозвониться, нежели когда не звонят тебе. Ее голос нужен был мне, словно ремонтная мастерская моему авто, который столкнулся с трудностями на полном ходу и теперь стоял разбитый на обочине.

* * *

— Любовь может быть только в пятницу, в субботу — нет, — комментировала София в телефон, собирая с пола артефакты вчерашней страсти и медленно натягивая на себя: трусики, колготки, бюстгальтер, — суббота — день наведения порядка, но ведь и о голове не следует забывать, — наконец, с трудом выросла та из кофточки.

— Мужчина спит, а ты уже делаешь генеральную уборку в голове и в квартире, — понимающе ответила Лара. — Как у тебя в целом?

— Да все хорошо. Вчера посидели в баре с подругой.

— Как там?

— Как всегда. Похоже на кружок мягкой игрушки: одни клеятся, другие отшивают. У тебя что новенького?

— Суббота. Выходные дни еще хуже будней, когда рядом нет любимого человека.

— Муж на вахте?

— Да. Красота моет полы, — отвечала Лара, присев на диван и пытаясь стащить с левой руки желтую резиновую перчатку.

— Суббота существует не для того, чтобы проводить ее в одиночестве. Выйди на улицу, вдохни солнечной осени, мокрого асфальта, мужского внимания.

— И чем я выдохну?

— В лучшем случае — поцелуем с мартини, в худшем — кофе с дымом.

— Почему в худшем?

— Потому что это будет значить, что либо ты никого не встретила, либо так и не вышла.

— Ты забываешь, что я замужем, — наконец удалось ей стянуть перчатку и положить на край ведра с водой, в котором, как в аквариуме, затихла на дне половая тряпка.

— Звучит, как болезнь.

— Тупая боль одиночества, — усмехнулась в трубку Лара. — Думаю, его все же лучше пережить одной, чем измерять чужими поцелуями.

— Я, наверное, тебя отвлекаю?

— От одиночества? — засмеялась Лара.

— Ага. От уборки.

— Да нет, я уже закончила.

— Может, и мне порядок наведешь? А то мне не собраться. Я шучу, — уже курила на кухне у окна София, глядя, как за пределами стен весна вытравляет остатки зимы.

— Некоторые дни созданы для безделья.

— Просыпаешься в субботу и не знаешь, чем сегодня заняться: можно было бы заняться делом, так выходной, приятно было бы любовью, так не с кем.

— Где ты? Я не пойму. У кого? — прошла Лара в ванную, чтобы вымыть руки.

— А, ты про этого? Чем дальше, тем больше кажется, что это не любовь. Просто секс, ничего личного.

— Тогда откуда столько разочарования? — спрашивала Лара уже из кухни, открывая нагретую духовку.

— Ты же сама знаешь, откуда берутся разочарования. От сожительства. Это одна из форм существования влюбленных, которая всегда впору мужчинам, но абсолютно не сидит на женщинах. Последний разговор был такой:

— Я тебя так сильно люблю, может, нам стоит попробовать пожить вместе, снять квартиру?

— Я не понимаю, дорогой, к чему ты клонишь: к любви или к сожительству. Ты хочешь со мной жить?

— Я не знаю.

— Что ты такой мнительный?

— Я не мнительный, просто во мне всегда борются два человека. Один — за, другой — против. Как их разнять?

— Купи им шашки, пусть играют, только без меня.

— И что он тебе ответил? — прижала к уху плечом Лара свой телефон, чтобы свободными руками сунуть противень с пирогами в духовку.

— У тебя нет никаких прав, чтобы вот так запросто взять от меня и уйти.

— Да. Будь у меня права, я бы уехала.

— Ты до сих пор не сдала экзамен по вождению?

— Теперь уже есть. Заплатила, как полагается, и получила. Надеюсь, у тебя в семье все в порядке, по крайней мере, когда возвращается муж?

— Ну как тебе сказать...

— Честно. Иначе я не пойму.

— Наша некогда страстная кровь свернулась, как прокисшее молоко, каким бы крепким и ароматным ни был напиток любви.

— Надеюсь, ты шутишь. Мне показалось, что ты все еще не теряешь надежды получить звание заслуженной жены или ветерана быта, — затушила окурок София, бросила весну и вышла в зал, где включила телевизор.

— Потерянной надежды не жалко, жалко времени, которое ушло на быт, на детей, на мужа. Слишком мало сделано для себя, — налила себе холодного чаю Лара и села за стол.

— Не надо так много делать для кого-то, особенно если не просят, могут и на пенсию отправить. Мне кажется, на детей не стоит жалеть.

— Я тоже так думала, пока они росли. Старшая выросла и улетела.

— Куда?

— Помнишь Оскара? Он как-то был на моем дне рождения.

— Да, конечно. Приятный мужчина, с харизмой. Ну и что с ним?

— Ты не поверишь, теперь живет с моей Фортуной.

— Охренеть. Так она ушла из дома?

— Они целых полгода встречались до этого. Я и не предполагала. По субботам вместо лекций чертовка ходила к нему на свидания.

— Дважды охренеть. Я бы убила.

— Я тоже так думала, когда узнала. А сейчас уже ничего, смирилась, — перекладывала Лара из вазочки с вишневым вареньем ягоды себе в рот, так что на блюдце уже образовалась небольшая кучка косточек.

— Ты молодец, конечно. Так спокойно об этом говоришь.

— Это сейчас спокойно, а тогда я была похожа на цунами.

— Откуда узнала?

— Получила анонимное письмо, — засмущалась Лара своей нечестной игре.

— В наше время подруги были более преданными.

— Откуда ты знаешь?

— Не забывай, что я в школе работаю. Дети у меня как на ладони. А что Антонио?

— Разве ты не знаешь его? Он только на работе может командовать, дома же мягкий, как хлебный мякиш, бери его в руки, так как он сам себя не способен, и лепи из него что хочешь. Сначала пытался из себя что-то корчить, потом сник, успокоился. Они же вместе с Оскаром с парашютом прыгают. Лучшие друзья.

— До сих пор? А ты?

— А что я? Нравится — пусть оба прыгают с ним, кто в койке, кто в воздухе.

— Я вижу, ты ревнуешь? — пыталась разрядить обстановку София.

— Как ты догадалась? — засмеялась Лара.

— Я же говорю — Дон Жуан. Перестань, может, она его действительно любит, — пыталась смотреть без звука какое-то кино София.

— Да я давно перестала. Они даже в гости к нам уже приезжали. Скованно, правда, как-то себя чувствовала. Антонио молчаливый и равнодушный, как потухший вулкан. Один съел целую бутылку White Horse.

— Еще бы. Подковали так подковали. Но стоит ли тебе так убиваться из-за его равнодушия, когда есть с кем разжиться новыми чувствами? Открой глаза, открой сердце, окно, в конце концов. Пусть свежий воздух ворвется в твою затравленную душу. Проветривание — вот что тебе сейчас необходимо.

— Мое проветривание сейчас спит в коляске, — открыла духовку Лара и достала румяный пирожок на пробу.

— Да, смелая ты, уже третий.

— Мальчика давно хотела. Думаю, они более преданные, — разломила Лара пирог, который выдохнул паром и клубникой.

— Опыт подсказывает, что нет.

— Ты про своего юношу? Может, он просто не созрел еще для большой любви? — Видно было, что пироги готовы, и Лара выключила духовку.

— Да. Иногда, чтобы узнать человека лучше, достаточно его разлюбить. Тут еще Марко объявился под руку. Будто знал, что никогда не бывает так одиноко, как в воскресенье. Воскресенье — это такой день, когда обязательно воскреснет кто-нибудь из бывших. Либо в памяти, либо в телефоне.

— Почему бы тебе не переехать к нему, ты же его любишь?

— Любовник — это не тот человек, которого женщина готова любить всем сердцем.

— Почему?

— Потому что мешает тот, что сидит в печенках, — уставилась София в экран, на котором женщина тоже общалась по телефону. София прибавила звук, и ей стало слышно, о чем та говорила с мужчиной:

— Почему ты мне не звонила?

— Зачем мне звонить прошлому, у которого нет будущего?

— Представляешь, я сегодня встал в пять утра, в шесть нашел тапочки, в восемь жену... по телефону. Целый день думал, зачем мне такие хоромы, жил бы себе в однушке, где все под рукой: что жена, что чайник, что кот. Кстати, кота я сегодня так и не нашел.

— Раньше не мог позвонить?

— Разбудил?

— Да.

— Ну извини.

— Да ладно уж, выкладывай. Сделаю прическу твоим мыслям.

— Сегодня проснулся и понял: не нравится мне эта квартира!

— А чего снял?

— Хотелось независимости. Я понял, что мне нужна другая.

— Какая?

— Мне нужна квартира с видом на твою грудь.

— Думаешь, как бы сохранить отношения с юношей? — отрывала Софию от экрана Лара.

— Нет. Как бы так бросить, чтобы он не упал.

— Так что Марко? Зовет обратно?

— Да. Но все еще не развелся.

— Говорила я тебе, не связывайся с женатыми. Думала, свяжешь из этих отношений теплый свитер своих одиноких вечеров, а любви не хватает даже на пару носков, потому что одна его нога здесь, а другая там.

— Да я знаю, с женатыми всегда так: ложишься единственной, а просыпаешься очередной, — думала на два фронта София, пытаясь не пропустить суть разговора и в телевизоре:

— Все хорошо, только в тебе есть один недостаток. Ты слишком женат.

— В чем проблема? Я разведусь. Ты выйдешь за меня?

— У тебя есть апельсин?

— Нет, а зачем?

— Меня тошнит.

— Я постараюсь найти.

— Теперь ты понимаешь, как мы будем жить, если поженимся: ты станешь исполнять мои капризы, а меня будет тошнить от тебя.

Сознание Софии раздвоилось на некоторое время: с одной стороны, ей было очень интересно, чем закончится сцена на экране, с другой — Лара, которая могла обидеться, поняв, что она стала фоном.

— Извини, но самое сложное для меня — это огорчаться за других, даже сложнее, чем радоваться, — откусив пирог, добавила в свою речь клубнички.

— Я тоже не люблю за других что-то делать. Так что ты не бери в голову.

— Если бы я могла быть такой же беспощадной, как и любовь, то давно бы ушла от своего.

— Куда? С тремя-то детьми.

— Теперь уже с двумя. Туда, где не надо ни жалеть, ни сожалеть. Подождешь минутку, мне надо пироги из духовки достать?

— Хорошо. Какой запах! Мне тоже один, самый румяный тогда, — прибавила звук телевизору София, где девушка все еще объяснялась по телефону.

— Самое неожиданное происходит в жизни пары, как только одному начинает казаться, что он знает другого как свои пять пальцев.

— Каждому мужчине так кажется. Навязчивая идея. Ты разбираешься в женщинах? Какой вздор! Конечно, можно нас разобрать по вкусам и запахам, по полочкам и по Фрейду, но как быть с капризами, которые очень быстро мутируют?

— Женщина — подарок судьбы, нельзя от нее отказываться.

— Это я понимаю, но ведь отказать может она.

— В таком случае ты не подарок.

— На чем мы остановились? — вернулась в беседу Лара.

— Все хотят к теплому морю любви в берега каменных объятий. Никогда не знаешь, где шляется твой мужчина: может, сидит в баре, может, прохлаждается с кем-то в кровати, а завтра ты встретишь его, и он поймет, что столько времени потерял не с теми, подтверждая это признаниями в любви. Ты будешь соглашаться с ним медленно, макая свои губы в шампанское, глаза — в любовь, душу — в счастье. Сегодня читала гороскоп. Обещает встречу и знакомство. Как там было сказано? Не упустите свой шанс.

— Ну вот, видишь, — вышла Лара на балкон, чтобы проведать своего малыша, дремавшего там в коляске. Так она обычно выгуливала своего ребенка, когда были дела по дому. Малыш мирно спал, не обращая внимания на то, что солнце уже улыбалось ему и строило рожи. Свежий апрельский воздух наполнял его щеки румянцем, а птицы бескорыстно пели, перелетая с ветки на ветку в поисках новых знакомств.

— Я не верю прогнозам на выходные, когда вечер обещает встречу с прекрасным, а проснешься — все затянуто одиночеством.

— Ты что, опять на диете? — нашла Лара в коляске выпавшую во сне соску и положила в карман.

— Откуда ты знаешь?

— Голос раздраженный, — вернулась она домой и принялась готовить молочную смесь для малыша.

— Ага, на гормональной. А ты?

— Моя диета — это когда поцелуи на завтрак, обед и ужин. Все остальное не диета, а сплошная борьба угнетенного чувства голода за демократию.

— У каждого свое понятие о разврате. Для кого-то и развернуться уже разврат, — сожалела София, что не дослушала разговор на экране.

— Я люблю решительных мужчин, — вспомнила вдруг Лара, как Антонио сделал ей предложение. И уже после свадьбы, когда она оставалась дома одна, часто спорила

сама с собой о каких-то приятных мелочах: чай пить или кофе, с печеньем или с шоколадом, позвонить ему или дождаться, пока сам позвонит... Еще выпить чаю или сварить все-таки кофе, прикончить шоколад или оставить жить, написать ему: «Я тебя люблю» — или дождаться, пока позвонит, и потом уже сказать: «Что, соскучился?»

— Они всегда знают, чего хотят?

— Они всегда знают, чего хочу я.

— Они умнее.

— Не может быть! Ты ли это говоришь, София? Зачем тебе тогда нужно было второе высшее?

— Ну как, я ведь еще многого не знаю.

— Чего ты не знаешь?

— Я не знаю, как жить дальше.

* * *

Спустившись с горы, бросив сноуборды прямо на снег, они сидели со стаканчиками глинтвейна и жареными сосисками на лавке, уставшие и счастливые, все еще улыбаясь солнцу, которое уходило восвояси за горы, унося с собой свет.

— Со стороны будто две груди в белом бюстгальтере, — указала рукой Фортуна на две одинокие вершины, между которыми образовался широкий вырез.

— А я-то думаю, откуда такое легкое ощущение оргазма, — глотнул я красный нектар с бонус-треком имбиря, кардамона и корицы.

— Хорошее пойло варят эти немцы.

— Да, и сосиски что надо, — смачно откусила кусок горячей сосиски Фортуна.

В этот момент к ней подскочил рыжий сеттер.

— Откуда это чудо? — завизжала от радости Фортуна.

— Ты слишком эротично ешь. Видишь хозяина вдалеке? — указал я на человека в пуховике, который живо общался со сноубордисткой.

— Похоже, вышел себя показать.

— Ага, и собаку покормить.

— Мне кажется, нельзя кормить чужих собак. — Фортуна гладила собаку одной рукой, а вторую с мясом подняла повыше, чтобы та не достала. — Да, ему теперь не до тебя, — объясняла она псине политику флирта. — Инстинкты, ничего не поделаешь. Бывают девушки с веслом, бывают со сноубордом. Кому какой инвентарь достался.

— Может, дать ему немного? — спросил я Фортуну, которая лучше меня понимала в собаках.

— Не стоит, — сказала она. Тем временем сеттер притащил в зубах кусок ветки и протянул Фортуне.

— Служит, — прокомментировал я.

— Или хочет поиграть, — отбросила она палку на несколько метров. Пес проводил ее взглядом, но остался на месте.

— Не могу я больше смотреть в его голодные глаза, — кинул я кусок своей сосиски сеттеру. Тот поймал на лету гостинец, опустил морду и стал жадно жевать. Проглотив, начал вынюхивать с поверхности снега невидимые ароматы и снова поднял голову: «Еще». В этот момент короткий свист хозяина оторвал его от нашей компании. И рыжее веселое вещество исчезло из поля зрения.

— Смотри, — допивая глинтвейн, закинула голову наверх Фортуна. Там на голубой акварели появилось несколько ярких куполов парапланеристов.

— Жизнь прекрасна, когда она не в телевизоре, — прилег я на колени любимой.

— Ну ты нахал!

— Извини, чтобы лучше было видно, как они спускаются с небес.

— Тебе удобно? — приняла Фортуна меня.

— Еще бы. Ты моя квартира с удобствами.

Я долго наблюдал за разноцветными птицами, пока не закрыл глаза и не представил себя на их месте: шершавый, жесткий поток, бьющий в лицо, беспорядочные чертежи земли и свою абсолютно пустую голову, из которой ветром выдуло все, кроме ощущения нереального счастья.

— Да не кричи ты так! — смеялся рядом Антонио. Это был первый мой полет на парашюте, когда мы спустились в тандеме. — Просто наслаждайся, упивайся.

— Тобой, что ли? — приходил я постепенно в себя.

— Нет, мной не надо, сопьешься... Свободой!

* * *

— А твой Антонио? Наверное, он какой-то особенный?

— Да нет, не было в нем ничего такого особенного.

— За что же ты его тогда полюбила?

— За то, что эту роль он отдал мне.

— Только ты думала, что это будет яркое захватывающее кино, а оказалось, что длинный тривиальный сериал, с повтором предыдущих серий по утрам. Все влюбленные — неизлечимые оптимисты. Он все по вахтам на Север летает?

— Да, месяц здесь, месяц там.

— Ну все-таки успеваешь соскучиться?

— Нет, скорее, не успеваю привыкнуть. Все время хочется какой-то свежести отношений, бури эмоций, праздника, что ли. Но не того, что за столом с готовками и гостями. Ты меня понимаешь?

— Согласна, мы стали экономны, мы боимся любить, мы боимся делиться чувствами, даже сердца нынче не бьются, потому что уже не бокалы, полные вина, а пластиковые стаканчики с охлаждающими напитками. А знаешь, что он мне заявил?

— Кто?

— Марко. Когда я ему сказала: «Ты меня не любишь, я это чувствую».

— Что?

— «А зачем мне тебя любить, когда с тобой можно просто спать». Ужалил в самое сердце. Вот все время же себе говорю: «Не надо заводить романов, если вас не заводит». Ан нет, бес попутал, а точнее — страх одиночества.

— После таких слов в отношениях наступает зима.

— Похолодание, я бы сказала. Хотя погода меня абсолютно не волнует. Что бы там ни было за окном — скупая зима или неуравновешенное лето, я всегда буду ждать весны. Только весной глаза наполняются влюбленностью, я же чувствую себя сентиментальной и щедрой дурой, раздавая ее направо и налево.

— Конечно, время вылечит, но осложнения обеспечены. Любовь не переспать.

— И каков теперь твой главный принцип по жизни?

— Главное, чтобы было интересно. А что касается остального, то секс — по

Фрейду, шоколад — по любви, чай — поутру.

— В общем, я с тобою согласна, но кое-что поменяла бы местами.

* * *

Я выхожу на улицу, чтобы вдохнуть немного асфальта, машин, людей, будто без этого мне уже не выжить. Люди идут молча навстречу или попутно, никто никого не знает и знать не хочет. А если хочет, то только с перспективой. Но где же ее взять, перспективу, если все упирается в горизонт? Для кого-то это отдельная квартира, для кого-то — прекрасная задница впередистоящего авто, для кого-то — необитаемый остров, для кого-то — своя жизнь, без примеси прочих. Все хотели независимости, но продолжали пить, курить и любить, любить кого-то, любить себя. Я тоже зависел от этой вредной привычки. Я был влюблен, а значит — ограничен.

На моем горизонте лежала она — нервная, истощенная красотой, обличенная в изящество, погрязшая в моей влюбленности.

Осень была той самой порой, когда можно подсчитывать урожай адамовых яблок после бурных летних ночей. Пусть даже женщины уже спрятали свои выдающиеся детали страсти в ткань и воздух относился к тебе с прохладцей. В вазе моего воображения стоял свежий букет из ее ног, рук, золотых косичек. Вместе с мыслями, которые спокойны и свежи, я шел через небольшой парк, вдыхая торжественный фейерверк леса. На улице пахло дынями, они выступали золотом из декольте осени, напоминая, что все еще будет, будет гораздо слаще, только попробуй. Я подошел к лавке с фруктами, развалами которой правил южанин. Стал рассматривать дыни, которые лежали одна к одной, словно боевые снаряды, крупнокалиберные и заряженные. Я коснулся морщинистой желтоватой коры одного из них, даже пальцами ощущая сладость плода.

— Ну что ты ее жмешь с такой силой, дыни — они же нежные, как женская грудь, — предупредил меня продавец. — Ты просто скажи мне, какой тебе нужен размер.

— Сладкие?

— Все сладкие. Выбирай любую. Стопроцентный сахар, растает во рту, как поцелуй любимой, — достал он одну и повертел в руках. — Ты же любишь женщин, по глазам вижу. Тогда бери и не сомневайся.

— Я не сомневаюсь, я выбираю.

— Что тут выбирать?

— Дыню или цветы.

— Как всякий торговец, я мог бы тебе соврать, но я не всякий — для женщины бери цветы. Там, за углом, моя сестра торгует. Какие у нее розы!

— Какие?

— Свежие, как мои дыни.

В итоге я взял и дыню, и розы, которыми хотел скрасить осенний этюд Фортуне. Я представил на мгновение, как она уже положила себя, горячую, в новенькое белье, как в посуду, из которой я буду есть, нет — хищно жрать, когда вернусь. Я знал, что больше всего она любила мою кипучую невоспитанность, дерзость в постели, чувствуя себя то лакомством райским, то сытной жратвой, то десертным вином. Любовь можно было назвать как угодно, главное, чтобы было кому приготовить и тихо шепнуть: «Приятного аппетита!» Пока я витал в своих фантазиях, подошел мужик, пахучий и засаленный. Спросил мелочи. У меня были деньги, почему не помочь? Я пошарил в душе своей и насыпал ему медно-никелевое конфетти в ладошку. Может быть, эта манна поможет ему встряхнуться, не умереть от запоя.

— Вы из жалости? — спросила меня бабулька, раздававшая бесплатную прессу.

— Нет, из кармана, — отмахнулся от газеты и позвонил Фортуне: — Как себя чувствуешь?

— С тобой — лучше, — гладила кошку Фортуна. — Ты где?

— Я в Средней Азии, — уложил я дыню на заднее сиденье, рядом устроил цветы.

— Где?

— Дыню тебе купил. Скучала?

— Нет, любила.

— Напрасно. Любовь никогда не была моим сильным чувством, таким, как жадность или зависть.

— Вот как?

— Не была, пока я не встретил тебя. Не то чтобы я сильно изменился, нет, я остался таким же жадным, потому что не хочу делиться тобой ни с кем. А вот зависть съехала: теперь я ее наблюдаю во взглядах тех незнакомых мужчин и женщин, которые то и дело пожирают твою молодость и красоту. Ты уже дома?

— Да.

— Одна?

— С кошкой.

— Перестань мучить своей лаской животное.

— А кого еще? Тебя же нет.

* * *

Зима наступила. И включила свою шизофрению. Наступила на человечество и начала жевать его, потихоньку испытывая на прочность. Кто-то делал вид, что ему начхать, кто-то пытался откашляться, самые находчивые улетали в теплые страны. Но тем не менее она потихоньку доставала всех, проникала сквозь одежду в самую душу.

Вымораживая те самые теплые уголки, ради которых люди готовы были идти на большие жертвы. Зима не любила никого. Ни лыжников, ни конькобежцев, которые вставляли ей палки в колеса и царапали спину, особенно дворников, что пытались стащить с нее пушистую белую шубку. Как она могла после этого относиться к людям? С холодным презрением: она не любила, она не хотела. В данный момент я переживал ее фригидность, сидя в кафе в сердце города. Запах свежего хлеба несколько смягчал зимний пейзаж. Сигарета медленно вытягивала из меня мысли и дым. Я рассчитался за булочки, что купил здесь специально для Фортуны, и вышел из кафе. Времени до встречи с Фортуной было еще много. Мы договорились пересечься в Таврическом саду. Бульвар провожал меня до самого парка. Я медленно брел среди кокаина зимы. Дорожки были подернуты сединой. Всю дорогу мятный морозный воздух врывался в мой нос, как к себе домой, и ударял приятной эйфорией в голову. В проволочных прическах деревьев, в тени их роскошных мыслей мерзли каменные богини. Они выстроились вдоль аллеи, которая вполне могла сойти за панель. Я уже шел на второй круг, словно мне надо было выбрать одну на ночь, не находя предлога для знакомства. Они же, взирающие на меня выпуклостями своего безумства, были холодны и равнодушны, возможно, знали, что моя богиня уже мчалась по подземным железнодорожным рекам навстречу ко мне. Зимой в Таврическом саду уныло, как никогда, да и садовник из меня никудышный. Доскрипев до середины парка, я остановился посмотреть на пруд. В этом месте снег отсутствовал, а асфальт был прошит воробьями, которые весело чирикали под ногами. Воробьи, словно маленькие швейные машинки, штопали асфальт своими носами. Достав булку, я накрошил им немного. Те начали стучать еще быстрее, будто в знак благодарности хотели подлатать мои растрепавшиеся чувства.

— О чем ты опять задумалась? — шли мы, обнявшись, по бульвару.

— Да так, ничего. Сегодня в универе был кросс, я вспомнила тот самый первый наш поцелуй.

— А какая связь? То, что я долго за тобою бегал?

— Да нет, — рассмеялась Фортуна. — Как будто этот поцелуй перерезал финишную ленточку моих девичьих переживаний. Ту самую ленточку, за которой пропали мысли: правильно я поступаю или неправильно. Я так хотела бы повторить эти впечатления именно в том состоянии. Помнишь, когда мы целовались на набережной?

— Да, я как нетерпеливый поклонник ждал тебя возле университета с утра, боясь пропустить.

— Когда я решила смотать удочки?

— Да, и отключила все доступные средства связи. А я, больной ожиданием и надеждой, караулил тебя. Ты выплыла синим платьем из-за угла. Ты летела на крыльях лета, а мне было в тот момент холодно, я не мог думать о чем-то другом, как о тепле. Я имею в виду зиму во внутреннем мире. Когда веет холодом одиночества со всех щелей, засыпая снегом воспоминаний. Озябшая душа пытается отогреться чаем, но не помогает даже коньяк. А тело утрачивает ту чувствительность, которой оно некогда обладало, и все по причине отсутствия рядом другого. Особенно дома... Одиночество начинается с порога. С того самого момента, когда ясно начинаешь осознавать, что тебя больше никто не видит и нет смысла выделываться, можно быть самим собой, бродить по дому с засаленной головой, есть прямо из кастрюльки, крошить печенье, висеть на телефоне и путаться в сетях. Будучи затянутым в чью-то чужую жизнь, я незаметно отказывался от своей.

— Потом мы обнялись, и все. Вместо занятий в универе ты предложил мне чай у тебя дома. Это твое: «Может, чаю?» Хоть я и была юной, все-таки знала, что значит чай с красивым одиноким мужчиной на его территории.

— Что тебе чай, ты знала, что через пару дней я предложу шампанское.

— Ну, это случилось не через пару дней, через месяц.

— Ты ждала чего-нибудь покрепче?

— Ну да, отношений, например. Ты тогда был первым, кого я действительно захотела.

— А кто был вторым?

— А вторым... — Фортуна сделала мхатовскую паузу и посмотрела на меня: — Был ты сейчас.

— Почему я?

— Отрицательные герои притягивают, — прятала свое лицо от возобновившегося снегопада Фортуна.

— А я отрицательный?

— На тот момент — да. Положительный приходил каждый день с подснежниками. Потом наступил период ландышей. Было смешно наблюдать через окно, как сверкали его пятки, после того как он оставлял цветы на пороге дома. Оплачиваем.

— Не всегда любят тех, кто приносит цветы.

— Да, но от тех, кого любят, букеты особенно желанны.

— Я понимаю, на что ты намекаешь.

— Я не намекаю, я желаю.

— У тебя есть время?

— Нет, забыл, — посмотрел Оскар на руку, где обычно носил часы.

— Хорошо, может, тогда зайдем в Русский музей? Давно там не была.

— Боюсь, на выходе меня опять задержат.

— Почему? — удивилась Фортуна.

— Скажут, что я пытался вынести шедевр.

— Это вместо цветов? — улыбнулась она, не ожидав такого комплимента.

— Цветы тоже будут, не волнуйся.

Мы шли по городу, любуясь свадебным тортом зимы, задирая головы на взбитые сливки крыш, сквозь снег, который продолжал эмигрировать свыше, спускаясь на торжество, кинуть льда в наши души и выпить, сквозь человечество, которое надело пальто, сквозь хрупкий, озябший хрустальный мир. Мы шли молча, будто боялись задеть его нечаянным словом и разбить игрушку нашего воображения, разбить чью-то надежду на весну. Через несколько минут уткнулись в Русский музей, ворвались в хаотичное пространство туристов и экскурсоводов. Отогреваясь знакомыми образами и перебирая один зал за другим, неожиданно уперлись в тупик, в «Черный квадрат».

— Мы уже полчаса торчим у этого полотна, я даже тебя не могу столько ждать.

— Я думала, ты на меня смотришь, — улыбнулась Фортуна.

— Так недолго и сторчаться, — почувствовал я тяжесть в ногах.

— На мне или на этом квадрате?

— Я бы предпочел на тебе.

— Обоснуй, — не отрывала глаза от квадрата Фортуна.

— Если отталкиваться от концепции полотна, то в этот черный квадрат должно провалиться все искусство. А если оттолкнуться от тебя, то все равно рано или поздно прибьет обратно. Хоть бы скамейку напротив поставили, — все еще продолжал я ныть.

— На самом деле мы стоим здесь не более пяти минут. Просто время здесь идет по-другому.

— Даже время здесь идет в квадрате, — приобнял я Фортуну.

— Кстати, есть еще и красный квадрат, который называется «Женщина в двух измерениях».

— Красный я уже не переживу, хотя этот цвет у меня тоже всегда ассоциировался с женщиной, стоит только в нее войти в настоящую, — поцеловал я Фортуну, — как все остальное за пределами тебе покажется пустым, белым, тоскливым.

— Слушай, может, тебе здесь группы водить? — посмотрела на меня строго Фортуна.

— И все время задаваться вопросом: почему только красный и черный? Будь в художнике коммерческая жилка, поставил бы на поток.

— Многих унесло таким потоком в канализацию. А Малевич здесь на самом видном месте, — потянула мою руку к выходу Фортуна.

* * *

«Новая осень развела нас, как маленьких, на скуку и на уныние, пусть даже акварелями. Как же скучно в кафе, если бы не еда...» — роились в голове Антонио унылые мысли. Он посмотрел в окно, там трое избивали человека. Жирная кровь капала на асфальт, на ворот белой рубашки, на желтые листья. Потом побежала струйкой из носа, спариваясь некрасиво с грязью. Били жестко, ногами. Антонио жутко хотелось есть. Его абсолютно не трогало чье-то горе, он был занят своим. Он чувствовал себя в роли той самой жертвы, так как эта нелепая связь между его дочерью и Оскаром, в которой он винил не Фортуну, не Оскара, а только себя, никак не могла уместиться в его голове. Ковыряясь вилкой в салате, он искал себе оправдание и не находил. «Нехватка отцовского внимания», — как сказала ему Лара. «Может быть, может быть, — вертел он в руках кусок хлеба, словно эту самую ситуацию, не зная, с какой стороны приложиться. — А что делать с Оскаром, какая теперь может быть дружба? Может быть, эти четверо тоже были когда-то друзьями, а может, и останутся, и будут вспоминать завтра историю за бутылкой водки как веселую развлекуху».

— Вам нужен соус? — принес бифштекс официант.

— Что вы сказали? — отвлекся Антонио на его белый наряд, на воротнике которого тоже предательски краснела капля соуса.

— Соус? Вам нужен соус? — Вновь сильный удар ногой, человек упал неправильно, головой на бетонный поребрик.

— Нет, спасибо, у меня есть, — показал он жестом в окно.

— Вот уроды! Приятного аппетита, сейчас позвоню в полицию, — двинулся официант к другому столику, чтобы собрать грязные тарелки.

Антонио схлестнул нож с вилкой, будто собирался с этим набором вступиться за все человечество сразу... Но вместо этого отрезал кусок мяса, проступила кровь... Засунул его ладошкой вилки в рот. Начал жевать. Не хватало соли. Он взял солонку и стал вытряхивать из нее душу. Человек за стеклом пытался найти точку опоры, чтобы встать, один его глаз распух, оторванная губа как будто бы что-то говорила, поливая красным. Чувствовался запах крови на языке. Бифштекс был хорош. Где-то внутри Антонио побежали ручьями желудочные соки. Время от времени он отламывал белый багет и пропитывал им сок бифштекса, заливший дно тарелки. Тот таял на языке. Человек лежал в бульоне осени, одежда его намокла.

Он приподнялся и пополз на четвереньках в сторону кафе, к границе стекла. Антонио даже показалось, что тот его видит. Новый удар в область живота повалил беднягу на бок. А руки все резали и толкали мясо в рот, заливая томатным соком. Сытость накрывала Антонио облаком, последний кусок был особенно вкусным.

Один из типов встал над жертвой и что-то выкрикивал, не переставая молотить ногой, короткими ударами вспарывая ей грудь. Другой разбежался и прыгнул сверху прямо на лицо. Что-то брызнуло — не то грязь с ботинок, не то распухший глаз.

Антонио отодвинул тарелку, вытянул из салфетницы белый, аккуратно сложенный конвертик целлюлозы и вытер губы. На бумаге выступил жир. Смял письмо, бросил в тарелку и снова вернулся к стеклу. Тело лежало на спине, обдаваемое легким дождем, и уже согласилось с насилием и не сопротивлялось. Ему вывернули карманы, будто хотели забрать и душу, и оставили. Антонио попросил счет. Троица растворилась в глубине парка. Он сидел за расколотым дождем стеклом, как за стеной плача, как за границей, прикидывая: «Что же я должен?» Его телу было тепло и уютно... Когда подъехала полицейская машина, жертва уже оклемалась и исчезла.

* * *

Будто город будто выстирал и вывесил свое ажурное заношенное белье на всеобщее обозрение. На улицу выпал снег белыми людьми, домами, машинами. Озябшие птицы, как и я, совсем не радовались первому снегу, они недоверчиво клевали белую глазурь, пытаясь найти там рациональное зерно того, почему они не перелетные (не выездные, безвизовые). Тюкая носами в замершее молоко безысходности, не находя объяснений этому факту... Я вспугнул стаю воробьев, которая сидела на дорожке, та вспорхнула, а голубь так и остался сидеть, пришлось его обойти, чтобы не наступить.

Зима — преступление против человечества. Она никому здесь не давалась просто: ни птицам, ни животным, ни людям. Хотя последние могли спрятаться от нее в машину, в кафе, в пальто, в себя, на худой конец, где не всегда было намного теплее. Снег на улице — это еще куда ни шло, хуже всего, когда он внутри, не смести его, не растопить, лежит себе, белый, холодный, толстый. Мне просто необходимо было объясниться с Антонио. Его семья тянула меня своей непонятной силой, я скучал по ним по всем, как по самым близким родственникам. Не было в этом городе никого ближе. Все еще переживая наш разрыв, я сел в машину и завел двигатель.

* * *

— О чем вы там хоть говорите? — намазал я на хлеб горчицу.

— О чем могут говорить шесть мужиков на краю земли? — оживился Антонио.

— Понятно. О чем бы она ни зашла, речь заходит и упирается в женщину, — закусил я жгучую смесь, словно десерт.

— Если быть точнее, в тему ее места в социальном мире.

— Ты бы еще сказал — в народном хозяйстве. Женщина же не мебель, чтобы искать ей подходящее место. Женщина для мужчины и есть та самая река, куда он все время норовит нырнуть, чтобы искупаться во влажном омуте глаз, вытереться насухо шелком волос, сесть к костру ее сердца, ощутив волнующий аромат кожи, выпить одним глотком ее губы, съесть с аппетитом все ее время, потом залечь в душу и уснуть. Спать до тех пор, пока его не начнет будить какой-нибудь мужик со словами: «Вставай, ты проспал свое счастье, теперь это моя река».

— А если я ее уже не люблю? — посмотрел на меня печально мой друг.

— Это же твоя женщина, ты просто обязан ее любить, она этого заслуживает.

— А если нет?

— Тогда ее полюбит кто-нибудь другой. В каждом из нас рвется с поводка кобель или сука, стоит только найти своего человека. Так что люби такой, какая она есть, ни в коем случае не пытайся изменить женщину, этим ты подтолкнешь ее к измене.

— А я что, по-твоему, для нее не свой?

— Тебе виднее.

— Виднее только то, что она глупее стала.

— Если женщина вытворяет одну глупость за другой, это значит, что она уже давно хочет серьезных отношений, — доел я свое «пирожное» и вытер салфеткой губы.

— Так мы же женаты давным-давно.

— Это ничего не меняет, если ты сам не меняешься. Некоторые умудряются прожить всю жизнь без отношений.

— Что же мне — ждать, пока она помудреет?

— Чтобы тебе легче было переживать все ее шалости и закидоны, помни, что только благодаря женщине ты можешь быть, только благодаря ей ты можешь быть мужчиной. И вообще, тебе не со мной надо вести откровенные разговоры, а со своей женой.

— Как ты себе это представляешь? «Ну давай поговорим о личном, раз ты настаиваешь. Ты с кем-нибудь спишь?» или, скажем: «Дорогая, когда ты в последний раз с кем-то спала?»

— А ты? — наблюдал я, как Антонио жадно прижал к красивым сочным губам стекло с вином. Те стали в два раза больше. Антонио сделал глубокий глоток, в этот момент я понял, что если Антонио ответит, то все его россказни будут также преувеличены. Но он промолчал, заткнув рот куском жареного мяса.

— Как тебе удается так хорошо чувствовать женщин? — прожевал он его.

— Секрет прост: я всегда любил только одну. Женщина — словно татуировка. Ее замечают: одни критикуют, другие любуются. А где она будет у тебя красоваться — на руках, на шее, на груди или ниже, зависит от щедрости твоей души и фантазии разума. Только помни, что, если ты захочешь с ней расстаться, шрам в любом случае останется на сердце, если не у тебя, так у нее.

* * *

Теребя пальцами руль, я стоял перед светофором, ждал зеленого. «Так и весна может пролететь», — подумал я про себя. Со мной в ожидании замер целый табун железных коней и еще несколько пешеходов на переходе, мне показалось, даже чуточку больше: улица, город, вселенная. Всем нам не хватало зеленого, кому в кошельках, некоторым — на деревьях.

Я стоял на красном, наблюдая, как ее стройная нога чеканила шаг и тянулась к взглядам мужчин, будто они и были единственным смыслом ее существования. А я сидел за лобовым стеклом, и только дворники двигались медленно туда-сюда, пытаясь смыть с экрана этот мираж, стряхивая с него мою весеннюю похоть. Я прибавил им ходу, чтобы убрать ее, чтобы не отвлекала. Девушка давно уже исчезла, я все еще в задумчивости смотрел ей вслед, моя фантазия вышла из машины и пошла ее провожать, так, без всякой корысти. Сзади начали сигналить, будто напоминая мне, что «у тебя же уже есть классная девчонка, чувак, чего тебе еще не хватает?». — «Да, я помню, как вы могли такое подумать, я ее ни на кого не променяю», — переключил я скорость и нажал на педаль газа. Перекресток вырвало машинами. Моя тоже оказалась в этой массе. «Куда ты? Зачем? Счастье было так близко, а я так далеко», — кричала, догоняя меня, фантазия.

Быстро закончив с общественным, устроив кое-какие дела в офисе компании, я вышел из казенного пространства, в котором она находилась, чтобы снова вернуться в свое личное. Набрал Фортуну:

— Ну и как тебя приняли родители?

— Сухо, — пробралась сквозь коленки студентов Фортуна за пределы аудитории, чтобы поговорить по телефону.

— Может, я за тобой заеду после учебы? — сидел я в нерешительности в машине, размышляя, в какую сторону ей податься.

— Не надо, я все равно еще должна забежать к мастеру.

— К мастеру, — передразнил я. — Что-то ты к нему зачастила.

— Мне нравится, что ты ревнуешь.

— А мне нет, — взвизгнула резина, когда я рванул с места.

— Я думала, ты не способен.

— Не волнуйся, я способный, — мчался я по проспекту.

— Не ревнуй.

— Я хотел бы. Но мне больше нравится знать, что ты в одиночестве, что никто не водит вокруг тебя своих похотливым жалом, — чувствовал я себя слаломистом на

Олимпиаде, которому необходимо было получить золото, чтобы усмирить свою прыть.

— Я хотела бы у него еще многому научиться, — настаивала Фортуна, глядя на мир сквозь свой видоискатель.

— Чему, например?

— Ну, как он говорит, что настоящему фотографу нужно обязательно примерить на себя образ модели.

— Ты что, ему позировать будешь?

— Должна же я побывать в шкуре модели.

— И тебя не обошла эта мечта всех женщин, стать моделью хотя бы на миг, — не успевал я на зеленый.

— А ты думал, я особенная?

— Нет, когда влюбляешься, особо не думаешь, — бросил я трубку и снова встал на красном.

* * *

Медовый месяц — он светил нам в окно, когда мы, уставшие от гор, уже валялись на равнине постели.

— Как ты хочешь, чтобы тебя любили?

— Медленно, очень медленно. Не надо торопиться с выводами. Особенно если это — признание в любви. Для меня каждый акт — это признание в любви, — ворошила она мои волосы.

— Ты всегда стремишься к идеалу.

— Да, только мне все время кажется, что мы с тобой движемся к одной цели, но на разных скоростях. Ты не мог бы делать все еще медленнее?

— Не боишься заснуть?

— Нет, боюсь переспать.

— Хорошо, возьму музыкальную паузу и спою твоему животу песню.

— О чем?

— О том, как мне хорошо живется меж двух твоих сосков, как вечерами я спускаюсь в ложбину к роднику и там жду вдохновения.

— Не надо ждать вдохновения, оно приходит в процессе... Как вкусно ты пахнешь, — поцеловала Фортуна меня в висок.

— Чем?

— Мною.

Мы играли в циклопа, по Кортасару.

— Где у тебя живет любовь? У меня надувается такой шар в районе солнечного сплетения, — посмотрела Фортуна на меня, будто хотела подарить его мне.

Я тоже смотрел на нее. Глядя в глаза друг другу, мы приближались лицами до тех пор, пока они не коснулись носами, и я уже видел перед собой не два глаза Фортуны, а только один.

— Ты настоящий циклоп, — высказала она мою мысль.

— Конечно, все мое видение — это ты, — начал поедать я ее пухлые губы. Она тоже ела мои. Затем, едва отдышавшись от поцелуя, вдруг вспомнила:

— А ты знаешь игру «Ехали медведи на велосипеде»?

— Ты же знаешь, как я люблю играть.

— Эта тебе понравится. Ну смотри, — вытащила она свои теплые длинные ноги из-под одеяла. — Давай, теперь свои! — сдвинулась она в постели таким образом, что наши ноги оказались друг напротив друга. — Приложи пятки к моим пяткам. Теперь вместе крутим педали. Поехали! — смеялась она, радуясь тому, как механизм из ее стройных и моих волосатых деталей начал слаженно накручивать невидимые километры.

— Куда едем? — звонко просигналил он мне.

— К тебе, — пригрелся мой завороженный взгляд на ее прелестях, сверкающих шелковым треугольником любви, и чувствовал, как во мне поднимается то самое мужское начало, именуемое концом.

— Тогда крути быстрее, женщины не любят ждать.

— Что тебе привезти? Цветов?

— Цветы есть, — подняла она с груди большую белую розу, которых было разбросано великое множество на хлопчатобумажной клумбе постели. — Лучше конфет, моих любимых конфет.

После этих пожеланий мишки, как по команде, побросали велосипеды. Фортуна осталась лежать на месте, а я накрыл ее своим телом.

— Мишки на Севере не было, взял мишку на мишке, — прошептал я ей в самые губы, будто они отвечали сегодня за слух.

— Где ты нашел? Это такая редкость, — приняла меня в свое лоно она, чувствуя, как я, размахивая тем самым красным шариком, который возникал у нее внизу живота и который был теперь крепко привязан к моему древку, вел Фортуну за собой в вечную страну сексуального запоя.

— ...Красный шарик стал размером с Марс, — бормотала она, приходя в себя после моря любви.

— Ты не беременна?

— Не знаю, но у нас могли бы быть красивые дети, — открыла она глаза.

— Начнем разводить?

— Не так быстро. Хочется для начала какую-нибудь культурную программу, чтобы потом гордиться не только детьми. Давай через пару лет.

— Ок, тогда я пошел, — встал я с постели и направился в кухню апартаментов, которые мы сняли на неделю.

— Ты куда?

— Кофе заварю, — обнаружил я на стенах прелестно пасущихся лошадок. Мне показалось, что где-то я их уже видел.

— Я с тобой, — прискакала за мной Фортуна, успев натянуть трусики.

— Ты не помнишь, откуда эти лошадки на обоях? — указал я ей на стены.

— В комнате на диване точно такие же.

— Мне кажется, что сейчас мы своими страстными порывами распугали их там, они сбежали сюда.

— Все хотят есть. Они здесь кормятся, — встала неожиданно на мостик Фортуна. — Как тебе?

— Чувствую себя на Аничковом мосту. Внизу кораблики с туристами, сверху солнце, по бокам лошади, внутри тебя — все время борьба гибкости ума и тела.

— Что же ты не аплодируешь? — убрала Фортуна одну опорную руку.

— Я же готовлю! Выбирай: или кофе, или аплодисменты.

— Можно мне и то и другое?

После этой фразы кофе резко поднялся, выплеснулся на плиту и зашипел.

— Вот тебе и аплодисменты! Черт!

Фортуна ловко поднялась обратно, поцеловала меня и села за стол в ожидании кофе.

Пока я разливал его, она включила телевизор. Там в новостях передавали репортаж о вооруженном столкновении на Востоке.

— Что люди сегодня такие злые? — не глядя на экран, обратилась она ко мне.

— Да не злые они, это бизнес. Могу даже предположить, что в скором будущем небольшие войны станут провоцировать с целью снять сериал, который миллионы людей будут смотреть каждый день онлайн, как смотрят Олимпиаду или другие ток-шоу. Думаю, что трансляции смогут окупить затраты.

— Ну, ты загнул.

— Шучу, мне кажется, всему виной понедельник, — кинул я ей в чашку кусочек сахара, зная, что она любила послаще.

— Мне кажется, человечество на тебя просто в обиде, — посмотрела на меня Фортуна.

— Значит, не показалось. Но не пойму, за что? Кстати, тебе со сливками? — налил я ей коричневый ароматный сок.

— Нет, мне покрепче, — взяв в руки тепло, Фортуна и ответила на первый вопрос: — За то, что украл меня у него на целые выходные. Сегодня что, опять понедельник? — с тревогой опомнилась она.

— Да, ну и что? Чего ты их так боишься? Мы же договорились: представь себе, что в понедельник я люблю тебя ничуть не меньше, чем в остальные дни.

— Одно дело представить, совсем другое — пережить.

— Переживать — святая миссия всех женщин.

— Только не моя. Я не хотела бы тебя пережить.

— Прочь тоска, пошла вон, — достал я из шкафа коробку шоколадных трюфелей, открыл и высыпал на стол.

— Уже сбежала, — взяла, улыбаясь, одну конфету Фортуна и начала медленно раздевать ее.

* * *

— Дорогой, ты можешь сделать мне одну вещь?

— Какую?

— Приятную.

— Ты нимфоманка, в хорошем смысле этого слова.

— Может быть. Знаешь единственное извращение, которое мне не удастся с тобой испытать?

— Какое?

— Измена.

— Не шути со смертью. Она шуток не понимает.

— И ты тоже? Что там, кстати, на улице, солнце есть?

— Нет.

— Паршиво. Сделай же что-нибудь!

— Хорошо, — встал я и через минуту вернулся в спальню с апельсином в руке. Но этой минуты было достаточно, чтобы настроение ее исчезло. Фортуна проигнорировала мою находчивость и лежа на спине. Цитрусом разбило воздух. Я протянул половину Фортуне. Она отказалась.

— Покорми меня с рук.

Я вложил ей дольку в губы.

— Что ты так грустишь, я же уеду только завтра.

— Мне еще никогда не было так одиноко, как будет завтра. Дни недели давно уже потеряли для меня свои названия, оставляя под простыней лишь тот факт, просыпаюсь я с тобой или без тебя, — извлекала она из себя со страстью слова, брызгаясь апельсиновым дыханием. — Если влюбленность была прикосновением, то любовь стала хирургическим вмешательством. Я устала.

— От чего?

— От того, что, чем бы я ни занималась, я всегда занимаюсь тобой, тобой и только тобой.

— Мне не хватает тепла!

— Осенью все начинают мерзнуть.

— Я куплю тебе перчатки.

— Я же про душу.

— Что, она тоже простужена?

— Хуже — заледенела, — листала Фортуна какой-то глянец, залитый фотографиями.

— Так тем более я не вижу причин для отказа, перчатки хорошие — из кожи бизона, ты сможешь ими отшлепать меня, если, не дай бог, я к тебе охладею.

— Да хватит тебе уже дурачиться. Вот посмотри сюда, — ткнула она мой взгляд в разворот журнала. — Ты же видишь, что это абсолютная бездарность: здесь света не хватает, тут фокус не выдержан, а здесь, посмотри, ноги отрезало по колено. Нет, ты посмотри лучше вот этот! — настаивала Фортуна, так что мне тоже пришлось принять участие в их обсуждении.

— А здесь тебе что не понравилось? — проникся я парой пенсионеров, которая так мило целовалась.

— Ну как, разве ты не видишь? Линия горизонта разрезала им головы.

— Зато сюжет какой! Дожить до такой старости с такой страстью — это же песня.

— Тема хорошая, но если говорить о сюжете фотографии, то он абсолютно голый. Используйте окна, арки, ветки, чтобы обрамить сюжет. Как для мелодии, ему очень нужна аранжировка, импровизированная рамка в виде причудливых облаков, арки или ветвей деревьев.

— Ну хватит, Фортуна. Смотри на мир шире, что тебя так беспокоит чье-то чужое видение?

— Я могла бы это сделать лучше, будь я фотографом в этом издании. Ну, конечно, это же дочь, или племянница, или любовница главного редактора. Почему всегда всё каким-то родственным душам и удовлетворительницам?

— Признайся, что ты просто завидуешь, — обнял я ее за плечи сзади и прижал к себе. — Неужели тебе недостаточно, что я обожаю то, что ты делаешь? Я главный твой поклонник.

— Ничего я не завидую, — попыталась выпутаться из моего капкана она. Но, сделав усилие, я завалил ее на диван, так что она оказалась подо мной. Обхватив ладони Фортуны своими над ее головой, я посмотрел ей прямо в глаза:

— Научись мыслить глобально, смотреть на вещи просто, примерно как сейчас на меня.

— Хорошо. Я красивая?

— Да.

— И вредная?

— Да, ты из тех привычек, что не бросают.

— Я хочу простыми видами, предметами заставить работать подсознание людей, понимаешь? — отвела она глаза от моих, чтобы дать пространство своей мысли. Делая это подсознательно, она ясно давала понfive, что хочет выйти намного дальше моего существования.

— Подавать сюрреализм через классицизм? — отпустил я ее на волю.

— Можно и так сказать. Вот, посмотри, — она открыла папку с фото и начала показывать мне то, что отсняла за последнюю неделю. — Видишь этих девочек с беленькими бантами, они словно ангелы, спустившиеся с небес, а этот старик — он само время.

— Классная у него палка, — попытался я проникнуться творчеством Фортуны, — словно минутная стрелка. Клюка — это вечность?

— Вот, ты тоже это видишь. Вечность — тот самый фундамент, на котором размножаются наши эмоции. То есть я своими снимками хочу показать, что мгновения всегда ярче, выше, — продолжала листать свой жидкокристаллический альбом Фортуна. — Хочу сделать серию таких замечательных кадров, где окна будут превращаться в лица, морщины — в дороги, звезды — в глаза, погода — в одежду, прикосновение — в нижнее белье. Но не только это меня волнует, я также хочу научиться выхватывать у времени и у людей те самые моменты, когда они из ремесленников вдруг становятся профессионалами, из учеников — преподавателями, из любовников — мужьями. Может быть, даже доказать, что всего лишь мгновение отделяет нас от того совершенства, к которому человек, как ему кажется, идет годами. Очень хочу сделать серию фото о жизни детей из неблагополучных семей. Как у этого детдомовского ребенка, — она остановила поток своих фотографий на снимке отвергнутого детством малыша с безухим плюшевым мишкой в руках.

— Где ты его нашла?

— Я делала репортаж в детдоме.

— Да? Я ничего не слышал об этом.

— Генрих взял меня с собой однажды. Мой учитель фотографии.

— Генрих? Опять он.

— Ничего личного, что ты так разволновался, милый?

— Всякий раз, когда ты касаешься его имени, у меня будто срабатывает сигнализация.

— Что же будет, когда я поеду с ним в Индию?

— Зачем?

— Снимать. Как говорит Генрих, если ты хочешь расширить свое сознание, то это лучшее место, именно там проходит река времени.

— Ты с ума сошла! Никуда ты с ним не поедешь, — выла уже сиреной моя охранная система.

— Хорошо, давай поедем вместе!

— Втроем? — нервно засмеялся я.

— Нет, вдвоем.

— Хорошо, только не сегодня, и не в Индию, — начал я остывать потихоньку.

— Да куда угодно, главное, чтобы там были горы. И если рассуждать дальше о фотографии, то точно так же, как они режут небосвод, мои снимки должны быть поперечным разрезом нашей плоскости.

— Нашей плоской жизни?

— Да, очень важно почувствовать ее объективно, — взяла она в доказательство с полки объектив. — Ну, и как всякий художник, я хочу, чтобы мои работы были востребованы, имели спрос. К сожалению, в нашей стране рынок галерей не сформирован, это касается не только фотографий, но и всего искусства в целом.

— А в чем причина? — пытался я нащупать слабое место.

— Есть предложения, но нет вкуса, следовательно, спроса.

— Что ты имеешь в виду под вкусом? Культуру?

— В какой-то степени. Здесь до сих пор люди не знают, что такое винтаж, а те, кто знает, часто пытаются выдать за него обычные снимки. Ты знаешь, что такое винтаж?

— Могу сказать только о вине, в виноделии это означает марочное или выдержанное. Это слово особенно часто упоминают в связи с элитными дорогими винами, которые выпускаются только в годы удачных урожаев.

— Ну, в общем, в фотографии означает примерно то же самое. Винтажными считаются фотоотпечатки, сделанные вскоре после того, как был сделан негатив. Винтажные отпечатки имеют статус уникальности. Они стоят очень дорого.

— Насколько дорого?

— Как картины великих художников. Ты знаешь об американском фотографе Эдварде Стейхене?

— Нет, я в этом вопросе темнота, негатив.

— Так вот. В 2006 году на аукционе Sotheby's его винтажный отпечаток «Пруд. Лунный свет» ушел за два миллиона девятьсот тысяч долларов.

— Неплохой винтаж.

— А все из-за того, что фотоотпечаток был сделан при жизни фотографа и под его непосредственным наблюдением. А Ман Рей? Ты должен был слышать о нем!

— Нет. Познакомишь? — поднялся я с постели и отдернул занавеску, дав вдохнуть окну света.

— К сожалению, он уже умер. Выдающийся и, наверное, самый дорогой фотограф двадцатого века. И дело не только в том, что это винтаж. Есть фотографии Ман Рея, которые стоят больше миллиона долларов, а есть его фотографии, которые стоят три тысячи долларов. То же время, тоже винтаж, но просто другого качества.

— Я же говорю, все как с винами: одни выпиты, другие скисли, самые выдающиеся пылятся в подвалах коллекционеров.

— Ну согласись, что для любого нашего фотографа и три тысячи хорошие деньги.

— Может, мы просто не умеем снимать?

— О тебе я бы так не сказала, — отвлеклась от темы Фортуна.

— Иди сюда! Взгляни! — протянул я ей руки, чтобы она быстрее встала, и подвел к окну, там, внизу, на асфальте было написано мелом «Люблю».

— Вот если бы звездами на небе, — указала она своими искренними зрачками наверх.

* * *

Мы ехали с Фортуной по Швейцарии, возвращаясь с альпийских прогулок на сноубордах, солнце скакало за поездом по горной цепи, будто золотой мяч, который нам хотели вручить за хорошую игру на нервах этим утром, если он прежде не лопнет, нарвавшись на очередную остроту. Я пытался поднять настроение Фортуне и стал ее фотографировать (это было роковой ошибкой), вместо того чтобы сунуть ей в рот кусок шоколада.

— Ты никогда не умел меня фотографировать, — чуть позже уничтожала она снимки один за другим.

— А мне понравилось. Дело вкуса.

— Что здесь вкусного? Что? — избавлялась она от копий своего совершенства. — С тобой у меня всегда резко падает самооценка.

— Может быть, акклиматизация? — хотел я казаться хладнокровным.

— Ну да. Когда тебя нет, я отлично себя чувствую.

— Ничего, как вернемся, сразу же уеду в командировку на целую неделю. Ты сможешь ее задрать до небес. Я про самооценку, — не собирался я выходить из себя даже для того, чтобы выпустить пар, хотя стоял уже на пороге со сноубордом в шапке и пуховике.

— Отлично. Отдохнем.

— Почему ты себя постоянно унижаешь? Или тебе это доставляет удовольствие?

— Ты прекрасно знаешь, откуда что берется. Я люблю тебя, но жить все время в тени твоего опыта невыносимо.

— Хочешь сказать, это я тебе навязал этот комплекс?

— Это не комплекс, это чувства, которые вызывают во мне все твои красавицы, все женское общежитие, в котором ты жил до меня. Рвотные чувства, — добавила она язвительно.

— В общежитии?

— Да, в роскоши женского внимания. Даже когда уже был знаком со мною.

— Мне кажется, ты находишься под впечатлением рассказов твоих родителей. Но ведь это все вздор, сколько раз я тебе говорил. Не было у меня никого ближе, чем ты, не было! Все, что я кому-то говорил, слова, не более того, — обнял я Фортуну, но она скинула мою руку и пересела к окну напротив, немедленно погрузив в него свой прекрасный печальный хрусталь. Не зная, куда пристроить свои брошенные руки, я начал крутить в руках телефон, до тех пор, пока не догадался отправить Фортуне эсэмэску: «Я тебя люблю».

Фортуна прочла, но не ответила, снова повесив свой взгляд на альпийские пейзажи.

— Ты получила мое письмо? — крикнул я ей через проход. — Будем считать, что ты меня простила?

— Да, красивое. Три раза перечитала.

— Не надоело?

— Не помогло.

— Как так?

— Ты не понимаешь, ты не хочешь понять. Я не знаю, что это было для тебя — любовь или так, но те жаркие слова к другим женщинам до сих пор сидят у меня в голове, до сих пор разрывают мое мироощущение, стоит только вспомнить, стоит только задеть эту ранку. Мне надоели эти сочувствующие вздохи со стороны, будто там, где мы сейчас живем, был гарем. Не надо думать, что я пай-девочка, дурочка, которая все время будет стелиться за тобой. К тому же я начала ощущать эту разницу в возрасте. Ты хочешь детей, я — нет, я не хочу упустить свою юность, которая у меня одна, я не хочу оказаться сразу же в быту, минуя эту станцию под названием «Молодость», на которой ты уже погулял. — В этот момент поезд остановился, и часть пассажиров вышла. Как только двери закрылись, Фортуна продолжила: — Мне надоело находиться под твоим чутким вниманием. Мне хочется собственных ошибок, которые должны случаться в этом возрасте. Меня пугает размеренность нашей жизни, твоя мудрость, которая ведет меня за ручку безопасным мосточком через реку юности, сразу во взрослую жизнь. Мне хочется обычных девичьих глупостей. Мне нужен воздух, веселье, публика.

— То есть ты решила начать новую публичную жизнь? Тебе не кажется, что здесь маловато народа? — окинул я вагон, в котором было не более пяти пассажиров.

— Главное, чтобы они были людьми.

— С кем, интересно?

— Ты думаешь, у меня нет вариантов, что больше я никому не нужна?

— Нужна, ты мне нужна.

— Ошибаешься.

— Я не мог в тебе ошибиться, — сел я снова на свое место.

— Может, ты ошибся в себе.

— Черт, конечно! Как я мог забыть! Это все недостаток эндорфинов, — рылся я в рюкзаке, потому что на случай упадка настроения, как у всякого дрессировщика, для прирученной, но по-прежнему дикой кошки под рукой должен быть кусок шоколада или красное-прекрасное словцо, которым можно было бы с ходу расположить к себе или наградить за исполненный терпения трюк. Но сахара под рукой не нашлось, а слова все оказались стары, я пошел на крайние меры, неожиданно подскочив к Фортуне и вонзив в ее губы свой поцелуй. Прежде чем она успела что-то сказать, я захватил ее нежные розовые уста, закрыв эту наскучившую устную тему.

— Никогда мне не было так хорошо, как сейчас, — вытерла она через минуту словами свои набухшие страстью губы.

— Мне тоже, пожалуй, не будет, — вздохнул спокойно, понимая, что гроза миновала и можно стряхнуть с себя капли нахлынувших эмоций. — О чем это мы так бесполезно спорили?

— Я уже и забыла, помню только, что мне было холодно от недостатка внимания, ты на голое тело мое накинул плащ из своих поцелуев.

* * *

— Что ты с утра такая хмурая?

— Не проснулась еще, — уже всматривалась она, как в зеркало, в экран своего ноутбука.

— Так буди себя, иначе этот день за тебя проживет какая-то сволочь, которая будет нудеть, капризничать и выедать мой мозг. Елку будем наряжать?

— Может, сначала меня? Вроде праздник завтра, а настроения никакого, — не отрывалась она. — Новый год, где он? Не чувствую.

— Мир изменился. Мне кажется очень странным видеть любимую женщину сидящей в канун Нового года у компьютера. Что ты там можешь почувствовать?

— А где мне сидеть, под елкой?

— На моих коленях, — вертел я в руках банан. — Оторвись!

Фортуна закрыла пасть ноутбуку, встала, сделала по комнате несколько плавных шагов и совершила посадку ко мне на колени:

— Сейчас оторвемся.

Я приобнял ее:

— Неожиданно.

— Неожиданно?

— Неожиданно быстро, — вскрыл я банан и откусил.

— Как снег на голову?

— Нет, как легкий туман. Тебе слово, — протянул я ей банан, словно микрофон.

— Это что, интервью?

— Да, Фортуна, несколько вопросов о смысле жизни в канун Нового года. Новый год на носу. А ты? Что такая грустная, неудовлетворенная?

— Я?

— Ты. Что ждешь от Нового года?

— Весны.

— Какую глупость женщины ты считаешь самой чреватой?

— Выйти замуж без любви.

— А если мыслить глобально?

— Не выходить замуж вовсе.

— Новый год когда-нибудь одна встречала?

— Нет.

— Хочешь попробовать?

— Боязно. Вдруг не придет.

— Что ты считаешь главным в мужчине?

— Если у мужчины нет чувства юмора, то и с остальным беда.

— Что ты чувствуешь, когда тебе звонит настоящий мужчина?

— Гудки... по всему телу.

В этот момент завальсировал на столе телефон.

— Звонок от наших слушателей, — высветился на экране незнакомый номер... — Они хотят знать, что вы думаете о любви, — сунул я банан в руки Фортуне.

— Любовь — самое абстрактное из всех понятий.

— Вы так считаете? — отобрал я плод, который она даже не успела вкусить.

— Да, — выхватила она вновь «микрофон». — Любовью можно заниматься, даже когда ее нет, — откусила белую плоть.

— Так вы спите без любви?

— Любила ли я всех тех, с кем спала? Если я скажу «да», то, безусловно, совру, если «нет», то это будет означать, что соврала им.

— Где же правда?

— Правда всегда в последнем.

— Так как время наших бананов уже подходит к концу, последний вопрос, — откусил я от плода еще немного и протянул остаток Фортуне: — Вы способны на безумие?

— Я — да! Тебе достаточно поцеловать меня в шею, — доела она банан и аккуратно повесила шкурку на спинку дивана.

— В таком случае покажи, где у тебя шея, и я отведу тебя туда.

— Для тебя везде. Для тебя я сплошная шея.

— За Новый год! — поцеловал я ее в шею. — Чувствую, он будет хорошим.

— Откуда такая уверенность?

— Не волнуйся, от противного.

— Я спокойна. Когда я волнуюсь, то все время стою перед выбором: взять себя в руки или бокал.

— В руки возьму тебя я, подожди пять секунд. — Я поднялся и вернулся в комнату уже с фужерами и бутылкой шампанского. — Думаю, нам надо начать с бокала. Новый год все-таки скоро, — упал я в постель и начал откупоривать вино. Из бутылки вылетела пробка и завертелась где-то под столом, я быстро разлил по бокалам пену.

— Хороший год всегда начинается с шампанского! — передал я один фужер Фортуне. — Надо просто выпить.

— А джина нет?

— Ты считаешь, он справится?

— Все-таки пахнет елкой. Мне бы лучше того, что исполняет желания.

— Я к вашим услугам, — сомкнул я ладошки перед лицом и поклонился.

— Вы настоящий?

— Потрогайте.

— Вам же может понравиться! А дома небось джиниха с джинятами?

— Нет, я безнадежно одинок. Да и кто захочет в наше время жить в таком тесном двухкомнатном сосуде?

— Я, — ответила скромно Фортуна.

* * *

— Чай будешь?

— Есть повод?

— Утро.

— Что ты там увидел? — спросила Фортуна, подавая мне чашку.

— Она опять плакала всю ночь? — не отрывал я глаз от окна, за которым отсыревший асфальт блестел разливами луж.

— Разве ты не слышал, как она ревела? Я даже знаю, по какой причине. Ты изменял ей со мной этой ночью.

— Да? — обжег я губы следующим глотком.

— Всю ночь она наблюдала наши жаркие тела.

— Да, было неплохо. Но мне казалось, что ей до лампочки, что она смотрит на все это одним глазом.

— Просто не подавала виду, женщины умеют притворяться, — накручивала свой золотистый локон на палец Фортуна.

— В следующий раз надо занавесить окна, — наконец я почувствовал вкус чая. — Раньше мне казалось, что природа равнодушна к нам и к тому, что мы делаем.

— И природа способна ревновать.

— Одевайся, пойдем прогуляемся. Может, она нас простит, по крайней мере, плакать она уже перестала, — поставил я чашку на стол.

— Куда? Ты забыл, что скоро приедут мои родители? Я собиралась готовить утку с яблоками.

— Стоило ли тогда нам так наряжаться? — окинул я ее, полуголую, в одной майке и трусиках и себя в шортах.

— Ты заметил? Раньше это кольцо тебе не нравилось, — стала она внимательно рассматривать полоску обручального золота на безымянном пальце, которое служило гарантом моего предложения.

— Ему бы камень побольше.

— Зачем больше?

— Чтобы можно было кинуть в чужой огород.

— Они же придут просто на нас посмотреть, — собирала посуду со стола Фортуна.

— Уповаю на то, что они слепо любят нас.

— Циник.

— Дай хоть чай допить, — оставил я свою чашку в руке.

— Им же интересно знать, как мы живем, — накинула Фортуна фартук и включила воду в раковине.

— Ты хотела сказать, как мы переживаем?

— Да, как я живу с их другом. Пусть думают, что в раю, — прибавили она громкость своему голосу, чтобы он был звонче падающей из крана воды.

— Я смогу тебя хотя бы целовать?

— А что, разве в раю нельзя?

— Не знаю, надо спросить у тех, кто там был. Хотя, я думаю, там и без этого должно быть хорошо.

— Без секса? — оглянулась на меня Фортуна.

— Без морали.

— Значит, можно, — отправила она моему припухшему ото сна лицу воздушный поцелуй.

— Да, думаю, в браке можно.

— Если считать, что брак — это союз равных по воображению людей.

— Как ты его крепко обозначила.

— Он крепок до тех пор, пока один не начнет воображать из себя невесть кого, — укладывала она чистую посуду в шкаф.

— Надо быть богом хотя бы для того, чтобы верили.

* * *

Улыбка никогда не покидала ее лицо, словно жила своей отдельной жизнью в счастливом государстве, которое развивалось по своим оптимистическим законам, несмотря на социальные и экономические проблемы, возникавшие в нем время от времени. Чудовищная внутренняя сила и доведенная до абсолюта женственность не позволяли ей расслабиться, раскиснуть. Лишь изредка, когда настроение выливалось за край, она могла вспылить. Лара стояла у окна и наблюдала, словно биолог, как по стеклу ползли прозрачные гусеницы, то сжимаясь и ускоряя свое гибкое тело, переходя на бег, то замедляясь, чтобы остановиться совсем.

— Что ты загрустила?

— Дождь.

— Где? Снег же идет.

— Да, снег. А в душе дождь.

— Тебе нельзя грустить. У тебя же дети, — пытался шуткой остановить этот ливень Антонио.

— Да при чем здесь дети? Я про вечер.

— Ты же сама сказала, что твое настроение ни к черту и не надо обращать на тебя внимания, — расстегивал Антонио запонки на рубашке.

— Но это совсем не значит, что надо его обращать на других. — Лара не могла оторваться от окна, где тихо падал снег, придавая торжество этому моменту. Казалось, в эту ночь он хотел окончательно похоронить все ее мечты.

— На каких других?

— На себя. Ты же весь вечер занимался только собой: ел, пил и смеялся. А я? Ты хоть раз вспомнил обо мне? Со стороны могло показаться, будто мы абсолютно чужие люди, едва знакомые.

— Если бы я знал, что твое настроение останется там...

— Его давно уже нет, разве ты не заметил? Хотя что я говорю, ты давно уже ничего не замечаешь.

— Не надо было никуда ходить. Зачем мотать себе нервы? Черт с ними, пусть живут как хотят, в конце-то концов, это их жизнь.

— Мы и так никуда не ходим. Ты же, кроме своего неба и парашютов, ни черта не видишь. Но ведь сверху тебе должно быть видно гораздо больше. Прыгаешь, прыгаешь, а падать-то все равно вниз.

Антонио молча стянул с себя рубашку, словно это была его вторая кожа, и кинул ее на стул. Однако попал на край, и та начала медленно сползать на пол, даже пустые рукава ее бессильно пытались зацепиться за место, но тщетно. Антонио не придал этому факту значения, его равнодушие означало только одно — что ему тоже все осточертело.

— В последнее время ты все больше отвечаешь мне молчанием.

— А ты хочешь говорить о погоде? — сел он в кресло.

— Нет, но это же не повод для того, чтобы молчать. Надо радоваться жизни.

— А разве молча нельзя? — вздохнул муж.

— Можно, но зачем?

— Чтобы не мешать тем, кому грустно, — посмотрел он на большой фотопортрет на стене, где Лара, приложив указательный палец к губам, намекала на молчание. Фото было сделано в этой же комнате, им лично, когда они вернулись с вечеринки поздно вечером: он — молодой лев, готовый растерзать ее, взорвать эту кровать безудержной любовью, чудовищной по силе бомбой в тестостероновом эквиваленте, взять ее — молодую, но умную львицу, которая ни в коем случае не хотела разбудить родителей, что спали за стенкой.

— Ты видел, как они смотрят друг на друга? — не услышала шепот его мыслей Лара.

— Кто?

— Оскар и Фортуна. Ты ничего не видишь. Все пространство вокруг них дышит любовью. Как ты не понимаешь? Мне сейчас не хватает каких-то банальных слов, которые раньше ты произносил, не задумываясь: как ты прекрасна этим утром, какая ты сексуальная в этом белье, какая ты вкусная. Несколько слов, чтобы растопить зиму за окном и за пазухой. Не хватает элементарного теплого вранья.

— Что ты хочешь этим сказать?

— Ничего. Я научилась хотеть молча, — сняла последнюю заколку Лара и отпустила пастись ворох своих бесконечных волос.

— Сейчас я тебе поставлю про любовь. — Антонио включил телевизор.

— Знаешь, с некоторых пор я боюсь вечеров, — пересела она от зеркала на кровать, взяв в руки глянец. И, найдя что-то интересное, медленно сползла в лежачее положение.

— И что тебя в них пугает?

— Пустая кровать, на которую смотрит телевизор.

— Ты же знаешь, это все моя чертова работа, — безуспешно переключал программы Антонио. В голове его все еще бродил щедрый французский коньяк, споивший уже все нейроны.

— Ты так много работаешь, что не остается времени для любви.

— Надо же приносить пользу обществу.

— Я — пас. Я не хочу быть полезной.

— Почему?

— Потому что сразу же найдется тот, кто начнет извлекать из этого выгоду. Не волнуйся, я не про тебя, ты слишком далеко. Когда-то я тоже думала, что мы вдвоем можем свернуть горы, а что в итоге? Уже много лет, вместо того чтобы свернуть нашу любовь, как грязную постель, и кинуть в стирку, сворачиваемся в клубок, защищая свой внутренний мир, боясь признать, что наша некогда страстная кровь любви свернулась, как прокисшее молоко. Разве ты не замечаешь, что каждый твой отъезд уносит тебя все дальше от реальной жизни? Хоть бы научился писать эсэмэски, — скинула с себя платье Лара.

— Я же тебе отправил вчера эсэмэску, ты мне не ответила, — все еще листал программы муж. Наконец остановился на каком-то черно-белом фильме.

— Эсэмэска не цветы.

— Столько одиноких женщин, столько одиноких мужчин. Отчего же людям не спать вместе чаще? — стал он обсуждать сцену на экране.

— Ты про нас?

— А мы что, редко?

— А по-твоему, часто? Мне кажется, секс для нас становится самой большой редкостью.

— Я не знаю, какими категориями это определять.

— Ну скажи мне, ты помнишь, когда это было в последний раз?

— Сразу не скажу.

— Значит, редко.

— А часто когда? — переключил на футбол Антонио и лег рядом со своей женой.

— Когда не можешь забыть.

— Может, завтра в кино сходим? — попытался обнять он ее в постели алкогольным дыханием.

— Может, сразу на кладбище?

– В смысле?

— В кино, в кафе, в гости — всегда нужен еще кто-то, третий. Знаешь почему? Потому что ты боишься, что вдвоем мы сдохнем, сдохнем от скуки, — отложила она журнал и посмотрела прямо в пьяные глаза.

— Давай заведем кота или другое домашнее животное.

— Меня заведи сначала, потом котов. Люби меня такой, какая я есть.

— А когда тебя нет?

— Аналогично: люби такой, какой меня нет.

— Ты же сама говорила, что я всегда буду твоей второй половинкой.

— С годами я поняла, что половины мало, мне нужно все.

— Что — все? Что тебе еще нужно? — закипел Антонио. — У тебя же все есть!

— Если говорить о планах — то здесь, рядом, всегда, неужели не понятно? На данный момент все, что мне нужно сейчас, — это ванна, шампанское и легкая музыка.

— А я?

— Ты тоже, конечно! Будь другом, сходи за клубникой.

— Где я тебе сейчас найду клубнику? Поздно. Да и спиртное уже не продают.

— Вот и я говорю. Главное в мужчине — это чувство юмора. Если его нет, то и с остальным беда.

* * *

— Часто время измеряется отсутствием одного человека. Иногда бывает настолько хреново, и дело даже не погоде, не в головной боли, такое состояние, будто в его отсутствие мне не хватает своей собственной кожи, чтобы согреться. Ты знаешь, я хочу жить с ним.

— Зачем?

— Зачем, зачем... За забором, за которым он будет полностью моим. Можешь мне объяснить, почему, как только его нет, я сразу начинаю скучать?

— Это от бедности внутреннего мира.

— Чем же его обогатить?

— Любовью.

— То есть тогда мужчина будет приходить чаще?

— Нет, тогда он придет и останется... Ляжет на диван, включит телевизор, попросит приготовить ужин, и скучать тебе уже не придется.

— Ты про отца?

— Нет, я в общем. — Лара подошла к окну и посмотрела в него, будто хотела спросить разрешения на откровенность. Она давно заметила, что откровенничать с дочерью, стоя к ней спиной, всегда было легче. — Иногда очень хочется послать, пока подбираешь нужные слова, злость куда-то проходит. Вместо: «Пошел ты...» говоришь: «Ты можешь перезвонить мне позже». И так всю жизнь, пока не встретишь любимого человека, от которого тебе не надо скрывать свои эмоции.

— Я тебя люблю, мама.

— Неожиданно, я бы даже добавила — необдуманно.

— Почему?

— Потому что я тоже тебя люблю. Странно говорить это после всего, что мы с отцом на тебя вылили, — достала Лара сигарету. — У тебя есть зажигалка?

— Можешь прикурить от моего сердца, — улыбнулась дочь, слизнула рукой с полки зажигалку, которую недавно завела, и поднесла к сигарете Лары. Та затянулась:

— Как говорила одна моя подруга, надо научиться сдерживать чувства. Иначе обязательно найдется какой-нибудь лихач, который возьмется ими управлять, не имея на это никаких прав. Жизнь женщины — зачастую это дорога от одного мужчины к другому.

— А если мужчина один, как у тебя?

— Значит, вокруг него.

— Замкнутый круг?

— Цикл.

— Как же разорвать это скучное кольцо?

— Не зацикливаться.

— Мне кажется теперь: я никогда никому до конца не смогу быть предана, только по одной причине — чтобы не предавали. — Фортуна тоже достала сигарету из пачки, понюхала, но курить не стала.

— Если женщина говорит «никогда», значит, это обязательно случится вновь, — выпустила вверх облако дыма Лара.

— Когда люди говорят о чувствах, они вспоминают о велении сердца, что то якобы почувствовало волнение в море любви и забилось чаще в надежде к кому-нибудь пришвартоваться. Чтобы мое чаще, теперь уже никогда, оно же не швейная машинка, чтобы строчить бесконечные кружева отношений. Оно уже слишком мудрое и знает, что могут и отшить. Потом сиди, штопай вручную, иголкой, свою нервную систему.

— Может, подлечим ее чаем с малиновым вареньем? — открыла мать окно и выбросила окурок в клумбу, где уже сложили головки осенние цветы.

* * *

В воскресенье Фортуна любила встать попозже, принять ванну, заварить себе кофе и ходить по дому голой, пытаясь всем своим видом разбудить его, мужа, который просыпался еще позднее.

— Мы опять с тобой проспали все воскресенье, — села она рядом со мной на постель, гладила лицо ладонями, помогая прогнать сон.

— Не печалься. Главное, не проспать друг друга, — сгреб я ее в охапку своих крепких волосатых объятий вместе с ворохом хлопка.

— Ты всегда знаешь, чем меня воскресить, — тонула она в стихии. — Окно открыто. Ты не простынешь?

— Нет. Если ты перестанешь так часто махать ресницами.

— Где ты так наловчился?

— Чему?

— Стягивать трусики пальцами ног.

— Ты думаешь, это особый дар?

— Нет, я надеюсь, ты мне их вернешь.

Теплое кресло из кожи вздохнуло и опустело, ручки исчезли, ножки ушли, изголовье осталось без мыслей.

— Ты куда?

— Я в ванную, — покинула она мое тело. — Кстати, ты не помнишь, приняла я сегодня антидетин? — взяла она в руки упаковку с противозачаточными таблетками.

— Я не видел. Чего ты так засуетилась?

— Действительно, чего это я? Тебе же воспитывать.

— Доверяешь?

— Ты мне цветов не даришь, хоть я тебе подарю.

— Ты уверена, что это будут цветы?

— Абсолютно, — просочилась она в ванную, оставив меня наедине с комнатой. Здесь я чувствовал себя в безопасности, так как эта комната была пропитана, согрета теплом женского тела, будто она и была той самой рубашкой, из которой Фортуна только что вышла. Ее не было ровно вечность, потому что за это время обои на стенах постарели, мебель обветшала, потолок облупился, потому что у меня было достаточно времени, чтобы всмотреться в окружающий мир.

— Не скучал? — наконец вышла она, объятая свежестью. — Почему-то мне кажется, что тебе сейчас было одиноко без меня.

— Да, очень.

— Сейчас я это исправлю, — подошла она к окну, отдернула тюль и села за пианино, которое находилось рядом с окном. В комнате закружилась веселая полька из школьного выпускного экзамена. Некоторое время я любовался на ее стройную спинку, из-за которой то и дело выбегали и уносились обратно по клавишам пальцы, будто их распирало любопытство взглянуть на голого мужчину. Потом я поднялся с постели, подошел сзади и начал щекотать Фортуну под мышками. Она засмеялась, а вслед за ней и клавиши, сбившись с ритма. Я накинул на нее вуалью прозрачную занавеску. Фортуна завернулась в нее и тут же поменяла трек на «Свадебный марш». Воздух неожиданно стал в комнате торжественным и многообещающим. Я сорвал цветок у гортензии, что улыбалась в горшке, и вручил ее Фортуне.

— Ты с ума сошел?

— А ты не знала?

* * *

— Это ты, дорогой?

— Да.

— Что звонишь так поздно?

— Почему поздно?

— Я уже замужем.

— Ты по этому случаю набралась? — пытался я затронуть самое здоровое из ее чувств — чувство юмора.

— Лучше бы я надралась в баре, одна, чем здесь с наряженной сворой чужих людей. Знал бы ты, какая здесь скука. Забери меня отсюда. У меня тактильное недомогание. Мне хочется тебя трогать. Я здесь сохну, у меня все зудит. Будь моим кремом, я разотру тебя по всему телу.

— Зацепила. Когда я далеко от тебя, понимаю только одну вещь, нет, две: праздник — когда ты рядом, счастье — когда на коленях.

— Стою или сижу?

— Черт, ну что я могу сделать? — осязал я, что сейчас начнется. Однако никогда не чувствовал себя виноватым за то, что был старше Фортуны на двадцать лет. И когда дело доходило до крайней точки кипения, то есть скандала, часто слышал такие слова: «Мол, ты попробуй найти такую же дуру (как будто дур кто-то ищет, и я как будто искал). Я молодая и красивая, способна на многое и могу уйти в любой момент, только скажи». Я обычно в таких ситуациях молча осознавал, что причина не во мне, это дерьмо кипит, обида на кого-то. Она где-то там, внутри, будет сидеть как отравление, как избыток вчерашнего алкоголя. Всем своим видом я говорил: «Выблюйся в тазик моего терпения, пусть тебе станет легче».

— Приезжай! — сухо пригласила она.

— Я бы с удовольствием, но как? Я же за две тысячи километров.

— Как-нибудь, — шмыгала носом в трубку Фортуна.

— Если только ментально, но, судя по влажности, тебе надо моментально.

— Снова ты кинул меня одну, — прошипела трубка в моих руках пьяным голосом.

— Ты же сама рвалась на эту свадьбу. Я тебе говорил, что подобные мероприятия скучнее, чем смотреть зимой в окно.

— От тебя поддержки не дождешься, амеба.

— Может, я тебе позже перезвоню, когда придешь в себя?

— А если я приду не одна?

— Уже похоже на шантаж.

— Шантаж, винтаж.

— Даже не вздумай.

— Уже ревнуешь?

— Нет, анализирую.

— Ты анализируешь, а у меня тактильное недомогание. Мне хочется тебя трогать. Мне хочется намазать тебя, как крем, и растереть по всему телу. Разве ты не слышишь, как мне здесь тошно и тоскливо?

— Я же амеба.

— Обиделся, что ли?

— Да нет. А что, мужчин совсем нет?

— Есть, но они либо очень женаты, либо не в моем вкусе. А я пьяная и хочу любви. Люди, полюбите меня кто-нибудь! — закричала она во весь голос.

— Больная, что ли?

— Да, представь себе, больная, но больна не вами.

— Позвони своему фотографу, может, он тебя снимет?

— Ладно. Позвоню, может быть. Вижу, тебе надоел мой голос. Конец связок.

Фортуна открыла дверь на балкон и вышла. По улицам, счастливая, белая, чистая, невестой летела к городу, словно к своему жениху, зима. Фортуна любовалась ее легким головокружительным падением, будто она споткнулась именно для того, чтобы красиво упасть в объятия. Медленно, еще долго падало вслед за ней ее воздушное кружевное платье. «Чужое падение завораживает, — подумала Фортуна. — А мое, сможет ли оно так же заворожить?» И сама себе ответила: «Вряд ли». Люди, задрав воротники, не заметили, наступая, шли дальше, протаптывали дорожки, путаясь в сугробах шелков. Свадебная фата окутала город метелью. Белая королева снега наутро растает. «Некоторые падают, чтобы подняться, другие — чтобы исчезнуть, — вернулась обратно в праздник своей подруги Фортуна. — Вечер — декаданс, утро — ренессанс».

* * *

Я поужинал в ресторане отеля и поднялся к себе в номер. Завтра предстоял трудный день, и хотелось лечь пораньше. Положил себя на кровать прямо в одежде и начал гладить пальцами телефон, листая фотографии. Фотографий было немного, и я сошел на третьем круге, переключившись на вчерашнюю переписку с Фортуной:

— Привет, ты спишь?

— Представь себе, уже в кровати.

— Представляю: ночь, луна, кровать, ты, голая и теплая.

— Все, хватит уже.

— Почему?

— Тебя-то нет.

— Дни недели давно уже потеряли для меня свои названия, оставляя под простыней лишь тот факт, просыпаюсь я с тобой или без тебя. Люблю тебя безумно.

— Серьезно? Что же значат твои постоянные истерики, то молчаливо-гнетущие, то фарфорово-осколочные?

— У каждого моря любви свои приливы, свои отливы.

— Что у нас на сегодня?

— На сегодня четверг.

— У четверга нет будущего.

— Почему?

— Потому что в четверг я всегда думаю о пятнице.

— Думай лучше обо мне.

— Мне нужна мотивация. Я согласна любить тебя по четвергам, только с одним условием.

— С каким?

— Быть любимой в пятницу, субботу, воскресенье, понедельник, ну и, пожалуй, во вторник.

— А в среду?

— По средам у нас будет санитарный день. Будем отдыхать друг от друга. Ты в своей среде, я в своей.

Четверг, четверг, начал я разбирать его по косточкам в блокноте: когда будет четверг, я подумаю, что будущее в пятнице, когда будет рано, я буду ранен будильником, когда будет поздно, я опоздаю, когда будет ночь, никто не поверит, что это навсегда, когда будешь звонить — не звони сразу в дверь, когда умрешь — не забудь помыть посуду, когда ты станешь умной — я буду скучать по глупостям, когда будет пятница — я опять напьюсь, когда я это пойму — наступит воскресенье, проснувшись, я подумаю о вечном: зачем нам постель, если мы там не можем спать, с кем хотим, у четверга нет будущего. Поставил жирную точку, бросил ручку, встал, дошел до выключателя и включил темноту. Разглядев в потемках стул, сбросил на него содранную с себя одежду и лег. Не сумев сразу уснуть, взял в руки телефон и посмотрел на время: «Ну вот, дожил, теперь без ее ночной эсэмэски и уснуть уже не могу». Телефон молчаливо погас в руке. Трудно было засыпать с чувством вины, которое я испытывал после ее вечернего звонка. Он до сих пор холодной отрыжкой беспокоил мое сердце. Почему нельзя было нормально поговорить? Да просто мы разучились нормально, мы разучились понимать друг друга, общаясь нормально. Да и как это возможно между влюбленными, они же ненормальные. Я положил телефон рядом на столик, чему он неожиданно возмутился. Но это была не она: банк предлагал в кредит деньги под низкие проценты. Мне же нужны были чувства, в этот момент, в кредит, в рассрочку, как угодно, мне бы даже хватило звонка, под любые проценты. Потом еще дважды разбудили пластиковые окна из ПВХ: чуют, когда писать, будто из их окон выходить было бы приятнее, я открыл свое, чтобы перезагрузить воздух. Они отстали. В три часа ночи фирма предложила телефон такси. Я не выдержал и позвонил:

— Куда едем? — спросила девушка.

— Мне все равно, — ответил я ей.

— Адрес?

Я назвал город. Девушка долго молчала. Пока наконец вновь не натянула свои связки:

— Вы издеваетесь? Это же две тысячи километров отсюда.

— Нет, я вас люблю.

— Вы ошиблись службой, — повесила она трубку.

Утром я ее получил: «Ты сейчас далеко. За тысячи поцелуев от меня. О чем ты думаешь?»

Ответил: «О чем я еще могу думать? Почему ночь пришла одна».

После этого я сразу же перезвонил, однако на мой звонок она не открыла дверь, не пустила меня в свою душу. Голова начала рисовать самые немыслимые картинки: что Фортуна с другим, в постели, отключает звук телефона и убирает его. В образе другого почему-то мерещился тот самый фотограф, который, обнимая ее, спросил лениво:

— Кто это так рано?

— Не знаю.

— Я бы ответил, послав куда подальше, нечего будить хороших людей в такую рань, — прижался он к ее груди своим лицом.

— Некоторые звонки существуют, чтобы на них не отвечать.

* * *

— Иногда у меня складывается такое впечатление, что я ее совсем не понимаю.

— И не надо. Как только ты начнешь понимать свою женщину, тебе не за что будет ее любить.

— Все больше ее беспокоит собственная форма, раньше она так не зацикливалась.

— Формы отвечают только за содержание. Чем больше живу, тем чаще прихожу к выводу, что женские формы, пожалуй, единственное, что делает этот плоский мир таким загадочным. Вынося на суд свои формы, женщина надеется встретить того, кто заинтересуется ее содержанием, влюбится в него и больше не сможет жить без. Ее прелестные выступы и впадины — это своеобразные поручни для твоих взглядов и прикосновений, чтобы ты не споткнулся в тайных закоулках ее души.

— Ты что, пока гладил ноги, успел ей признаться в любви?

— Это было бы идеальным признанием.

— Как оно выглядит, по-твоему?

— Признание идеально, когда нет возможности отказать. В любовных разговорах с женщиной слова ничего не решают, пока не сделаешь из них предложение.

— Знаешь, в чем твоя проблема? Ты слишком женат.

— Может, ты лучше пахнешь? Что у тебя за парфюм?

— Не важно, успехом надо душиться и щедростью. В смысле, щедрее надо быть, легкого аромата успеха вполне достаточно. Ты не боишься, что она от тебя уйдет?

— Куда?

— Женщине не важно куда, важнее — к кому.

— Да нет у нее никого. Я не думаю, что она захочет жить одиноко.

— Да нет одиноких женщин, это все миф. Женщина не может быть одинока, всегда кто-нибудь живет в ее сердце, кто не дает покоя, не дает ей быть не только самой собой, но и с тобой тоже.

— Я не думал об этом.

— Ну да, зачем тебе думать, ты же анекдоты читаешь.

— Смешно. Хорошо, слушаю твои инструкции.

— Чтобы она не ушла? Пиши свою любимую, в стихах, в прозе, не умеешь сочинять — пиши маслом, акварелью, если получается хуже оригинала, пиши пальцами, губами по ее коже, глазами фотографируя каждый ее шаг, каждое мановение души. Украсьте этими фото стены, склей из них твое любимое кино. От восхищений не умирают и не уходят. Женщины любят, когда ими восхищаются. Женщин надо любить и удовлетворять, для всего остального существуют мужчины. Любви полно, она кругом. Просто кто-то хватает по ошибке чужое.

* * *

Я сидел за стойкой и орошал свою душу — пустыню Сахару. Девушка-бармен то и дело подливала мне. После четвертой я спросил ее, знает ли она, что такое измена. Та задумалась, натирая стаканы, потом ответила: «Будто целовали грудь, а потом вдруг откусили, и ходишь без нее, и знаешь, что долго еще не сможешь никому показать». Я многозначительно посмотрел на хозяйку бара и выпил очередную порцию виски. На закуску девушка мне добавила: «Измена всегда с душком, каким бы свежим ни было мясо». В знак признательности я выкупил у нее целую бутылку и продолжил выяснять отношения в углу бара. Под блюз Гарри Мура я пытался припудрить мозг философией, рассуждая: «Подумаешь, кто-то вошел в твое лоно без спроса. Какая ерунда! Главное, что

Фортуна по-прежнему тебя любит, а это стоит прощения». Я пытался рассуждать объективно: «Телу каждую ночь как в клетке другого тела утомительно, бесперспективно, что измена — это то, что делает нас более страстными, любвеобильными, более смелыми, свободными, нередко она и способствует коренным изменениям застарелого сифилиса общежития. Измена — своего рода прививка от преданности». Я пытался, однако выходило паршиво. Я не знал, чем ломать стену, возникшую неожиданно на ровном месте. Каким благоразумием, каким благодушием крошить кирпичи Великой Китайской стены, выстроенной за ночь Фортуной, Великой — потому что она была неприступна, Китайской — потому что я не знал, как расшифровать тот иероглиф, в котором крылась причина такого жесткого обращения со мной, да и с собой тоже, будучи уверенным, что она переживала не меньше.

Я выдавил последние капли из бутылки и заказал официантке еще. «Неужели наш маленький драматический театр больше не будет ставить комедий? — поймал я глотком в виски ледышку и гонял ее между десен, словно это был чупа-чупс. — И теперь на сцене вместо занавеса любви маленькие блюстители обстоятельств выстроят стену отчуждения навечно, закрыв звездное небо над нашими головами». Я понимал, что каждый раз, пытаясь об этом забыть, нужно будет брать ее, карабкаться, падать и лезть снова, а она с каждым разом все только выше, а самолюбие все ниже.

Я пил, чтобы забыться, точнее, забыть свою женщину, рюмку за рюмкой, выливая ее глаза, грудь, ноги, волосы, голос, кожу, прикосновения. Казалось, она жила в той бутылке, хрустальная, влажная, эфемерная. Будь моя воля, я бы зашел в ее сердце, сел за столик, заказал бы себе вина и еды, пил бы, ел и курил, постоянно роняя то вилку, то нож, вилку и нож, — столкнул я на пол приборы. «Вот они — чувства, тогда бы на собственной шкурке, сучка, ты ощутила, что значит изменять мне с первым попавшимся кобелем!» — нжаждал я ее. И она появилась в какой-то нелепой форме и встала напротив:

— Не можешь забыть?

— Не могу, — прошипел я сквозь пьяные непослушные зубы.

— Думаю, тебе уже хватит. Давно пьешь?

— Вторую неделю, — дыхнул я спиртом и посмотрел на охранника зрачками, на которые падали упоенные алкоголем веки. — И знаешь, что я понял? — пододвинулся еще ближе к нему. — Мне ее не перепить, почти не сплю.

— Боюсь, что и не переспать, — помог он мне выбраться из бара и поймать такси.

* * *

Сон меня облизнул и выплюнул в осень. Взгляд умывается мокрым асфальтом, тот подает полотенце с желтыми пятнами листьев, рядом редкие люди, которых тоже нужда вывела рано утром в субботу, на расстрел косому мокрому ветру. Это меня и спасет: косой, знаю, он промахнется, и я смогу дойти до луны, пока она не погасла, там сделать короткую остановку, чтобы двинуться дальше, к весеннему солнцу.

Решив не рисковать правами, я прошел мимо своей машины. Та понимающе промолчала. Потом вернулся и очистил лобовое стекло от спама, на этот раз предлагали веселые выходные в новом пивном клубе. Сложив письмо, сунул его в карман, не потому, что собирался туда пойти, просто не хотелось сорить, и двинулся к остановке.

Автобус всегда с одним и тем же лицом: противотуманные фары очков еле светят и ничего не видят, серые бамперы подбородков, дворники, словно длинные щупальца, стирают нехотя поволоку бессонницы со стекла и лица водителя. Одинокий автобус забрал одинокого человека с одной остановки. Внутри все спокойно, замерло, лица каменные, кашляют по любому поводу.

Мне было начхать на всех и на всё. В голове еще бродил виски в поисках льда. Я пытался сосредоточиться на работе: предстояло провести тренинг на тему вредных привычек. Несмотря на то что в автобусе мы были вдвоем — я и толпа пассажиров, мысли не собирались. Я бросил это занятие и стал наблюдать за людьми.

Утром люди совсем другие, еще более одинокие, чем я мог предположить. Несмотря на то что транспорт был общественным, обществом здесь и не пахло. Пахло сырым погребом или старым шифоньером со своим изношенным гардеробом и со своими скелетами. Воздух холодных взглядов лишний раз подтверждал, что людей здесь ничего не связывало, как и в жизни, каждый пытался только найти комфортное место, чтобы доехать до своей остановки. Одни входили, другие выходили. Как бы я ни хотел, но приходилось наблюдать за их лицами, за их выражением. Они настаивали. Всякий взгляд, брошенный милостыней, отзывался монетой на дне моего яблока. Люди перешептывались глазами, удостоенные разных полостей раковин вырезов, со своими взглядами и навязанными.

Их лица доказывали постоянство мордоворота в природе: лица, которые я никогда не забуду, лица, которые не запомню, выпуклые, стертые, плоские, случайные, тех, кого я увижу раз, и этого будет достаточно, чтобы умерли, были похоронены в поле моего зрения.

Лица-ежедневники, утренние газеты, салфетки, глянец, без настроения, нечаянные, кофейные, родные, близкие, отчужденные. Лица-декорации, упаковки, фантики, лица, спрятанные в шарфы, воротнички, зонтики, шляпы, ухмылки, ресницы, усы, бороды с прожорливыми губами, сварливые, добрые, сохнущие от нехватки любви, от работы и после нее, бледные, мертвые, беззаботные розовые лица людей-младенцев, завернутые в родительскую истому.

Я понял, что в автобусе чертовски мало лиц, на которые хочется любоваться. Я держался руками за ручку впереди стоящего кресла, потом опустил на них, как на подушку, голову, к которой прижался щекой. В моем поле зрения появился пес. Рыжий сеттер. Мы смотрели друг на друга красными глазами. Он лежал на полу, на грязном. Я сидел на грязном сиденье, мы, кажется, думали об одном и том же, положив себе морды на лапы, оба в намордниках: у него из кожи, у меня из щетины. Я видел в нем многое от человека, он во мне — от собаки, это нас и сближало. Говорить ему, как и мне, не хотелось, мы общались взглядами, красными глазами, тоскливыми: «Как дела?» — «Скверно. Как сам?» — «Аналогично». Видно было, что оба мы недоспали, он не доел к тому же, я перепил. На следующей остановке мужчина дернул его за поводок, коричневое пятно смыло толпой.

В салоне стало заметно свободнее, но ненадолго: в автобус вошла пожилая женщина и встала над моей душой. Внутри меня заворочалось благородство, но места уступать не хотелось. Я замазал глаза веками и притворился спящим.

В этот момент в кармане треснул телефон, я достал и показал своим глазам: «Уступи место женщине». «Хорошо», — ответил я Фортуне на автомате и встал, предложив место даме. Совесть была чиста, она сияла, словно оцинкованное ведро.

Я вышел на своей остановке, оставив толпу, в руке ведро, во рту вкус одинокого кофе: «Пожалуй, надо было рискнуть на машине».

Вместе со взрослыми входили и серьезные детские лица, жизнь которых была средней и школьной. Лица сталкивались взглядами и кучковались с одинаковыми по богу, по прибыли, по недостаткам. Мелькали порой унылые, из которых не выбраться, лица трясины, редко-редко — прекрасные мордочки женщин с претензиями на красоту, с губами — на поцелуи. Единицы носили небесные лица: солнечные, в основном же — лунные. Среди них лица-кратеры, ушедшие глубоко в себя, дождливые лица — лужи, канавы, понурые, томные, со стекающей грустью бассетов, и просто олицетворение задниц, с большой поперечной морщиной, стекавшей от самого лба. Общество явно не выспалось, голодное, изможденное. Лица-пепельницы, прожженные не одной гражданской войной и многими бытовыми скандалами, пачки для сигарет, полные ржавых зубов, испепеляющие рубцами, шрамами, авторитетом.

Некоторых я видел только в профиль, они напоминали звенящую мелочь с носом, и одноглазые, полусухие, но гордые, они хронически смотрят вдаль, скрывая обратную сторону медали. Свежие лица хлеба, рыхлые, черствые в панировке бородавок-веснушек. Лица из гипса, из мрамора, асфальтовые. Смотрящие лицемерно в окна очков, мутными аметистами, изумрудами, серыми, как осеннее небо, зрачками — в них равнодушие и безразличие. «Лиц много, — подумал я, когда выходил на своей остановке, — главное, не потерять свое».

* * *

— А если тебя называют неудачником, как после такого ты сможешь писать ей стихи? — посмотрел на меня Антонио, с которым мы застряли на моей кухне, когда я достал батон хлеба, по которому уже скучало сливочное солнце в масленке. Ароматно дымился в чашках кофе.

— Никогда не обижайся на женщин, это не по-мужски, — начал я резать хлеб с усердием хлеборезки.

— Полегче, — улыбнулся Антонио, — ты же сейчас тарелку распилишь.

— Не придавай значения словам, сказанным в сердцах. Это те самые трансформированные эмоции, которые ты недодал ей в постели. Что ты хотел? Любовь не приходит одна, обязательно притащит с собой ревность и стервозность, — посмотрел я на кусок хлеба, который давно отвалился, и представил, как надвое разрезал тарелку, цветочек вышитый на скатерти, дубовый стол, отчего сразу же запахло опилками. Ночь, незаметно опустившаяся за окном, тоже попала под тесак и уже истекала звездами. А рука моя со сталью все глубже — добралась до паркета, до нижнего этажа с их кухней. Я представил, как распилил соседа с его мигренью, со стаканом сухого, которое полусухим закапало на пол, добрался до шара, что под ножом расстегнулся на полушария. Потом посмотрел на Антонио, который спокойно наблюдал за всем этим, пока не остановил:

— Может, хватит хлеба?

В этот момент в диалог влез телефонный звонок. Я взял трубку:

— Привет, красавица!

— Нет.

— Антонио в гости зашел. С ним не соскучишься.

— Да.

— Антонио, тебе привет, — передал я Антонио салют.

— От кого? — посмотрел он на меня.

— От одной красавицы, — я не стал называть имени, в надежде, что Антонио сам догадается, ведь звонила его дочь.

— Взаимно, — улыбнулся отец.

— Слышала? — снова обратился я к трубке. — Разговоры ведем.

— Чище не бывает.

— А развлекать?

— Пока.

— Лично меня моя жизнь устраивает, — восстановил Антонио логическую цепочку, — хотя, возможно, я не настолько успешен, как некоторые наши друзья. Каждый успешен настолько, насколько считает нужным.

— Насколько хорошо считает, — добавил я к его ответу и глотнул кофе. — Видел бы ты, как люди жаждут его — успеха. Не в карьере, так хотя бы в личном. Я говорю про тех, что приходят в нашу тренинговую компанию.

— Никогда не мог понять, как этому можно натренировать — успеху.

— Как любую мышцу. Представь себе мускул, который отвечает за твой успех. Его надо постоянно тренировать, пока это не войдет в привычку, пока он не обретет настоящую силу. То есть чтобы он обрел форму, рельеф и привлекательность.

— И как это происходит?

— Путем разных заданий, которые люди выполняют в командах. Между командами также идет соревнование. То есть чем сплоченней команда, чем больше доверия внутри, тем ближе успех. Знаешь, как оно проверяется, доверие?

— Как?

— Ты стоишь спиной к членам своей команды и по команде начинаешь падать назад на прямых ногах.

— Я понял: остальные должны его подхватить, прежде чем он упадет.

— Точно, насколько бесстрашно ты падаешь означает, насколько ты доверяешь своему окружению. Или, например, команде из двух человек дается зубочистка, которую путем обменов в течение часа на улице надо обменять у незнакомых людей на нечто более ценное, стоящее.

— И как результаты?

— Журнал, бутылка вина, одним удалось даже выменять в итоге билет в театр. Но не все так успешны, улов некоторых — сигарета или булавка, самые неудачные пары распадаются в итоге задания.

— Может, мне тоже к тебе пойти, потренироваться успеху? Я шучу.

— То есть ты хочешь до упора жить вдали от родных берегов?

— Не знаю, на сколько хватит здоровья.

— Хочешь подключиться к эсэмэс-оповещению «Сколько тебе осталось»?

— Да нет. Мне не нужен успех и признание.

— Да ладно. Я же знаю, в каких условиях вы живете, а все ради того, чтобы добыть себе немного нефти на Крайнем Севере, которую жена смогла бы заправить в свое красивое авто и отвезти детей в школу, потом пройтись по магазинам, а вечером встретиться в баре с какой-нибудь своей подругой, пофлиртовать с кем-нибудь.

— Ну, это не про мою жену.

— Я образно. Вообще, скажи мне, как здоровый мужчина может прожить без женщины месяц или полтора, это же ненормально?

— Постепенно привыкаешь. А некоторые заводят себе жен на стороне, чтобы было с кем коротать потребности.

— Кошмар! Прежде чем изменять любимой женщине, надо помнить, что она всегда сможет сделать это изящней. Знаешь, что самое печальное в ее измене? Что ты никогда не сможешь простить.

— Нет. Самое печальное, что я никогда не смогу ее наказать. Измена — это не про меня.

— Правильно. Не пытайся обмануть женщину, она все равно узнает, если не узнает, то почувствует, если почувствует, то это чувство затмит в ней все другие.

* * *

— Хватит тебе там уже мучиться, Фортуна. Ты должна сделать усилие и переехать ко мне, раз и навсегда.

— Ты приедешь за мной?

Я замялся, представляя, как я забираю Фортуну с вещами из ее дома, как вслед мне летят крики и оскорбления, как обезумевшая Лара выбежит на улицу и кинется на меня с полотенцем или с кулаками и проклятиями, а Антонио будет смотреть на сцену из окна.

— Давай тебя заберет мой друг. Я встречу тебя у метро.

— Друг?

— Да, он приедет за тобой в два. У тебя чемоданы собраны?

— Да, конечно, — неуверенность сквозила в голосе Фортуны.

Я вспомнил, как месяц назад она уже делала попытку переехать ко мне. В тот день, проснувшись, я несколько минут слушал дождь. Его порывистое дыхание, теплый шелест ностальгии и скуки, который торопился намочить всех, то замедляясь, то прибавляя ход. Но я под зонтом квартиры, и меня преследуют фантазии на тему осени. Вытянул из-под кровати ноутбук, открыл и включил. «И здесь ливень», — подумал я про себя, слыша, как жесткий диск разгоняется в ноутбуке. Именно под этот шелест шла Фортуна к остановке с вещами под проливным дождем, простояла там целый час в раздумьях, пока я ей названивал. Потом вытащила симку из телефона и, сломав ее, вернулась обратно домой. Где родители на радостях устроили ей праздник. Мать сделала пельмени, Антонио, который был весел, как никогда, поливал кухню шампанским и громкой музыкой. Они танцевали — Лара, Антонио, маленькая Кира и стройная фигура Фортуны, вот только душа ее была не на месте. Ей здесь было не по себе, она, влюбленная в меня, пребывала в другом настроении и ритме, она тихо давилась пельменями, сидя за столом, поливая их хреном со сметаной.

— Хорошо, — ответила Фортуна уже вечером, когда раскладывала вещи в моей квартире. — Хорошо, что ты послал за мной друга. Ты не представляешь, что творилось дома сегодня. Когда я вышла в прихожую с чемоданом, мать выхватила его у меня, вытряхнула все содержимое и вытащила из груды тряпок синее платье. Я по инерции тоже ухватилась за него. «Отдай! — кричала мать. — Подстилка, я тебе его не отдам!» — затрещала она вместе с тканью. Испугавшись того, что оно может порваться, я отпустила свой край, и оно осталось в руках матери.

— Далось тебе это платье, завтра купим другое, — прижал я крепко Фортуну к себе. — Что тебе пришлось из-за меня пережить!

Когда я ждал ее у метро, голодная стая снежинок кусала меня в щеки. Оптимист подумал бы, что это поцелуи, но в тот момент я не был оптимистом. Кем же я был? Смотрел я в глаза оцинкованному небу, желая найти там подсказку. Да, пожалуй что, циником.

— Ты даже не представляешь, — подтвердила Фортуна.

* * *

— Ты не представляешь, что мне пришлось ради тебя пережить, а теперь вот так вот запросто ты выгоняешь меня из дома? И куда мне теперь вернуться — обратно в логово, откуда я так позорно ушла?

— Они же тебя любят, твои родители.

— Никого они не любят, даже друг друга.

— Ну хочешь, я сниму тебе квартиру, ты сможешь пожить там какое-то время. Тебе надо подумать, куда идти дальше.

— Что ты как навигатор? Это же моя жизнь. Я сама разберусь, где мне свернуть налево.

— Ну, даже если ты останешься, что мы будем дальше делать? Фортуна, я не смогу жить с человеком, который мне изменил.

— Это я не смогу.

Всегда легче любить человека на расстоянии, особенно если он этого не знает. Совсем другое дело, когда избранник живет с тобой рядом, дышит твоим воздухом, питается твоими губами, отрывается на твоем теле, покушается на твою свободу. Совсем другое дело... Так они и заводятся — многотомные дела на близких с вердиктом: «Покушение на личные интересы», в которых рано или поздно черным по белому возникает «Виновен». Виновен в том, что позволил приблизиться кому-то еще.

* * *

— Том? Где ты? Как низко ты поступил, ниже, чем это сырое небо.

Я с ужасом обнаружил, что у меня нет руки.

— Ах ты паскуда! Ты руку мою отгрыз и утащил, верни хотя бы часы, ты же знаешь, как мне дорого время. Клянусь, я больше не буду сдавать тебя в отель для животных, только верни мне руку.

— Том! — кричал я в темноту комнаты. — Чем я буду раздевать и ласкать жену, гладить тебя? Я знаю, ты меня к ней ревнуешь, когда я занимаюсь любовью с Фортуной. Не вздумай путать привязанность к братьям меньшим и чувства к любимой. Ты остаешься моим талисманом, помнишь, как уютно нам было, когда я лежал в кресле, а ты сидел у меня на коленях? — спрашивал я, лежа на кровати, все еще разглядывая недостаток своей руки.

— Черт, выходи! Мне хватит одной руки, чтобы взять тебя за шкирку. Дай только до тебя доберусь, — не мог я подняться с кровати, дотянулся до сигарет, но зажигалки тоже не было, только большие каминные спички, которые я никак не мог зажечь одной рукой. — Ты знаешь, как неудобно мне зажигать сигарету. Мне кажется, ты так торопился, что, видимо, сломал на руке моей палец, пока тащил руку, теперь он беспощадно болит у меня, точнее, уже у тебя, — запутался я окончательно в ощущениях.

— Я знаю, что возвращаться с повинной уныло, но ты сделай это — вернись. Прежде чем я пойду искать тебя по улицам своей небольшой квартиры, — все еще продолжал кричать я, не в силах заставить подняться свое тело.

— Выходи, проказник, я тебя не буду ругать, только поглажу! — стал я вглядываться в темноту коридора через открытую в спальне дверь. Наконец, я стал разбирать очертания какого-то странного существа: это был еж, на иголках его спины лежала рука, в ее ладони — телефон напевал Love Me Tender. Кто-то мне звонил.

...Оказалось, утро, оно протянуло ко мне свои холодные пальцы. Достало. Неутомимый будильник нудно повторял один и тот же припев, я заткнул ему говорливый рот пальцем. Рука моя затекла, затекла под голову, я попытался ее вытянуть, и тысячи иголок зашевелились в ней, будто это была не рука, а игольница. В течение нескольких минут я пытался проснуться и устал. Мысли снова завернули меня в одеяло сна. Какое счастье уснуть вновь, это даже приятнее, чем повторный секс. Однако будильник был на стреме и разбудил меня повторно через пятнадцать минут. Медленно встал, посмотрел на любовь, та еще не ушла, благоухала в постели в виде тебя и мирно нюхала сны, укутавшись одеялом. Холодная белая гусеница проползла мне в рот и растворилась в душистую пену, я сплюнул ее жгучую горечь вместе с водой, положил зубную щетку в стакан. Скользнул сквозь полотенце на кухню. Встретил там кота, который облизывал свои лапы. Я вспомнил свой сон и насыпал ему той самой рукой. Уложил в себя чай, два бутерброда, ветчину, сыр и его дырки, прошел через брюки, рубашку, пальто, ботинки, последние привязал шнурками к ногам. Зонт брать не стал, взял с собой только силу воли и вышел из дома вон.

— Уже вернулся? — встретила меня на пороге Кира вместе с котом, который с недоверием принюхивался к моим ботинкам.

— Соскучился.

— Я думала, телефон забыл, — обняла она меня. Я даже через пальто почувствовал ее тепло.

— Это одно и то же, — поцеловал я ее в нос.

— Это как?

— Я хватаюсь за него всякий раз, когда вспоминаю тебя. Что ты там прячешь?

— Где?

— За этой дурацкой улыбкой. Точнее, зачем ты это сдерживаешь?

— Что именно?

— Что ты дико рада меня видеть?

— Боюсь, что ты возьмешь этот ход на вооружение и начнешь возвращаться всякий раз, не успев уйти. По правде говоря, я даже не слышала, как ты ушел.

— А я не слышал, как проснулся. Представляешь, проснулся сегодня, а меня нет. Начал беспокойно искать: в кофе, потом в сигарете, снова в кофе, нигде нет. Потом стал рыскать по дому, зашел в спальню, посмотрел на тебя, спящую, понял — я в тебе. Ждал, пока проснешься. Не дождался. Ушел.

— А чтобы вернуться, тебе пришлось забыть телефон. Красивый предлог. Знаешь, почему женщину нельзя оставлять одну?

— Она может привыкнуть?

— Хуже: она может привыкнуть к другому.

— Ладно, буду напоминать о себе чаще. Дай мне, пожалуйста, телефон.

Пока я гладил Тома, Кира сходила за телефоном.

— Что будешь делать?

— Не знаю пока, — ответила мне плечами и поднятыми бровями Кира.

— Кофе?

— Нет, кофе тебя не запьешь. И шоколадом не заешь. Ты теперь навечно в меню моего сознания.

— Блюдо дня?

— Десерт ночи.

* * *

— Какая грустная мелодия. Ты чем-то расстроена? — подошла Лара сзади к дочери, которая выдавливала пальцами из фортепьяно медленную музыку.

— Нет, пианино расстроено, я — нет. Я скучала по одному человеку, а он оказался другим.

И тут Фортуна не выдержала, из глаз ее покатились бриллианты слез, она всхлипнула, потом развернулась и, найдя глазами грудь матери, приклеилась к ней всей своей невысказанной влагой.

— Что может женщина без мужчины? — задыхалась она плачем в ситце ее платья.

— Тут только два варианта: всё или ничего, — гладила ее по спине бережно Лара.

— Правду говорят, что все мужики козлы?

— Нет, не все, только те, которых сильно любили. Раньше ты так не выражалась.

— Я могла бы быть лучше, но это затягивает. Не хочу играть в хорошего человека.

— Не хочешь быть хорошей?

— А как можно быть хорошей, когда тебе плохо?

— Расстроилась, что Оскар не поздравил тебя с днем рождения?

— Думаешь, мне нужны его поздравления? Нет, они нужны моей памяти: чем чаще он будет обо мне вспоминать, тем быстрее я смогу его забыть. Молчание телефона — самое отвратительное из всех молчаний, когда находишься в режиме ожидания.

— Да, часто начинаешь думать о человеке, только когда он что-то не сделал. Часто люди уходят не оттого, что они хотят от вас уйти, а оттого, что так к вам и не пришли.

— Надо же было так влипнуть с первого взгляда.

— Влюбиться с первого взгляда не сложно, сложнее жить с ощущением, что ты уже не первая. Когда ты поняла, что влюблена?

— Стоило ему только не позвонить.

— Зачем он тебе нужен был? Он же взрослый, да и красавцем его не назовешь.

— Да при чем здесь красота... За красоту можно полюбить виртуально, актера или музыканта. Мама, разве за красоту любят своих мужчин?

— Нет, конечно, — после небольшой паузы ответила мать. — Для меня критерием мужской красоты всегда были сильные руки. Именно они являются вещественным доказательством поступков. А Оскар, он же так много говорит. И ты действительно рассчитывала на долгие отношения?

— Да, а что?

— Я давно для себя уяснила, что красноречие является первым признаком недостатка чувств.

* * *

— Погаси свет, я хочу, чтобы ты видел меня руками, — окутал комнату голос Киры, когда я вошел.

— Я еще не так близорук, но попробую, — посмотрел я на бра, которое освещало пространство. — Когда ты успела купить новый светильник? Какой причудливый абажур.

— Нет, трусики новые, абажур — нет. Я про тебя. Ты же мой абажур. Я тебя обожаю.

— Это не опасно?

— Для тебя — нет. Луна закурила, — сказала Кира, указав на тучу в небе, съевшую часть бледно-желтого лица ночи.

— Ты действительно про луну? — не поверил я ей и тоже поднял голову.

— Да. Даже у Земли есть свой спутник, — вздохнула она.

— Который приходит к ней только по ночам.

— Разве это плохо?

— Не знаю, я вот пришел, а тебе лучше не стало.

— Так ты не спутник, ты любовник.

— Чего же должно быть больше во мне — мужа или любовника?

— Мужчины.

— Этого добра во мне достаточно.

— Ты серьезно?

— Серьезней некуда.

— Не верю.

— Ну почему?

— Будь все так серьезно, давно бы на мне женился.

— Это не проблема.

— А в чем проблема?

— Во мне.

— Ты не готов.

— Нет, я-то готов, но будет ли это вкусно?

— Понимаю. Все мужчины хотят любить девушек красивых, добрых и умных. Вот я не отношу себя ни к первым, ни ко вторым, ни к третьим.

— Я давно отдал тебе все три места, однако если бы дело было только в этом: я понятия не имею, как теперь преодолевать ту пропасть, которая образовалась между мною и твоей матерью, не говоря уже о Фортуне. Если с Антонио мы как-то можем понять друг друга как мужчины, как старые друзья. По крайней мере, в клубе он не подавал никаких признаков отчуждения. Все как обычно. Послезавтра, кстати, с пятерки будем прыгать.

— С пяти километров? Я бы тоже хотела.

— Ты же высоты боишься?

— Боюсь, но страх еще сильнее подогревает желание.

— Помашу тебе сверху. Так что следи, буду держать тебя в фокусе. Да, вот еще что: завтра ко мне племянница приезжает, всего на день — на день открытых дверей. Потаскаю ее немного по городу.

— Маша?

— Да, я тебе про нее рассказывал. Может, ты с нами?

— Не, завтра никак. Курсовую надо писать, завтра буду в библиотеке целый день. А куда собирается поступать?

— В театральный.

— Ух ты! Я тоже когда-то хотела в театральный.

— Чего не пошла?

— Дома театра хватило.

— Мне кажется, он еще продолжается, благодаря моей постановке.

— Не присваивай. Это наша общая пьеса.

— Пусть так, только как я теперь смогу общаться с труппой, если каждая встреча, даже упоминание моего имени будут излучать радиоактивные лучи, способные вызвать не только мигрень, но и психическое расстройство актеров?

— Только через меня, — ответило за Киру само спокойствие. — Я буду твоим противогазом, через который ты сможешь дышать чистым воздухом, твоей ватно-марлевой повязкой, только бы отгородить тебя от микробов неприязни, переходником, который сможет гасить высокое напряжение, бегущее по линии моей родни.

— Я знал, что для меня есть ты.

— Я-то для тебя есть, но в таком случае почему нет тебя для меня? — улыбнулась Кира.

— Что ты имеешь в виду?

— С тобой я стала слишком чувствительна. Ты — мой выходной день. Сколько бы ни выходил, хочется, чтобы непременно вернулся. И когда тебя нет рядом, меня может встревожить любая ерунда.

— Например?

— Телефонный звонок.

— И что в этом страшного?

— Вдруг это не ты.

— Я, я, кто же еще? Как только я оказываюсь вне дома, я начинаю испытывать к тебе дикий голод. Может, это и есть привязанность?

— Нет, это и есть любовь. Просто звони мне чаще, не только когда проголодаешься.

* * *

Лара ушла на свидание со своей давней подругой Софией. Антонио, не зная, куда себя деть одному в целой квартире, где ему предстояло прожить еще три недели отпуска, открыл ноутбук своей жены. Не то чтобы он боялся техники, совсем нет. Просто его большие пальцы не были приспособлены для маленьких кнопок. И ему стоило нескольких вахт научиться печатать в четыре пальца, после рабочих смен, находясь в своем вагончике, где заняться было абсолютно нечем, кроме телевизора и Интернета. Мир последнего для него оказался действительно виртуальным. Несмотря на то что он был огромен, Антонио долго не мог найти себе места в нем. Он тыкался среди горстки своих знакомых, читая те или другие новости, рассматривая фотографии и ролики и оценивая, кто кем стал и как изменился. Даже завел виртуальный роман с бывшей однокурсницей. Но все это было как-то искусственно, наигранно и, главное, бесперспективно, так как самое большее, на что могли рассчитывать неслучайные встречи, так это на случайную связь.

Их встреча действительно оказалась неслучайной, ведь именно Радистка Кэт (так окрестили девушку на курсе, и не потому, что она носила с собой рацию, просто ее отца звали Радик) подтолкнула его в прекрасную сказку фэнтези. Антонио читал запоем, одну историю за другой. И голод этот можно было объяснить только одним: ему, как и всякому мужчине, живущему где-то между собой и женщиной, не хватало подвига. А точнее, не хватало женщины, ради которой он готов был бы совершить этот подвиг.

Экран открылся какой-то перепиской Лары и некоего Константина:

— По мне, так ты талантливей многих.

— С чего ты взял?

— Ну хотя бы с того, что ты каждый день встаешь в семь утра, готовишь ребенку завтрак и отводишь его в сад.

«Вот сволочь — издалека подкатывает, знает, собака, что путь к сердцу женщины лежит через ребенка», — подумал Антонио и стал мотать переписку дальше. Не то чтобы он хотел обнаружить компромат на свою жену, нет. Просто он, мужчина с седыми висками, с мужественным лицом, с глазами, подернутыми грустью постоянных командировок, хотел найти причину нынешней совместной жизни, такой пресной, если не сказать, тухлой.

— Расскажи мне еще о себе.

— У меня мало времени.

— В смысле?

— Я уже прожила полжизни, и не хотелось, чтобы остаток ее заняла болтовня.

Антонио никак не мог понять, кем Ларе приходился этот Костя? Друг, одноклассник или любовник? Говоря языком фэнтези — Гном, Эльф или Гоблин?

— Хорошо, расскажи о ней вкратце, самое важное.

— Самое важное — что двадцать минут назад я снова встретил тебя. Если не влюбиться в человека сразу, с первого взгляда, то потом это стоит большого труда.

— Я всегда думала, что мужчина должен быть первым и последним.

— В чем проблема?

— Последних оказалось больше, чем я ожидала.

— Что, у тебя их было так много?

— Стоит ли тебе волноваться, тебя же нет в этом списке... Или ты хочешь этим потешить свою гордыню?

— Нет, я передумал, лучше скажи мне, что ты думаешь о мужчинах?

— А что о них думать, у меня уже есть один.

— То есть он тебя устраивает?

— Вполне.

— То есть ты счастлива?

— Кто, я? Нет, конечно. Женщина никогда не будет счастлива, пока не разучилась мечтать.

— И как он должен выглядеть, мужчина твоей мечты?

— Одиноко.

— Что значит одиноко?

— Значит, без бывших.

— Куда же девать их, Лара?

— Стирать безбожно и не размножать.

— Откуда ты взялась, такая очаровательная, такая мудрая?

— Не смотри так строго, девушка всегда может быть лучше, достаточно предложить ей кофе.

— Может, лучше шампанского?

— Почему не кофе?

— Не люблю прелюдий.

— А кофе — это, по-твоему, прелюдия?

— Да. Шампанское — это флирт.

— Терпеть не могу флирт. А что нужно для безумия?

— Водка — это безумие.

— Тогда можно мне водки с апельсиновым соком?

— Почему с соком?

— Хочу сочного безумия.

Антонио начал потеть, он пока никак не мог понять, что это — изящная игра в слова или в бывшую любовь? Он вышел на кухню, налил себе стакан воды и выпил залпом. Через минуту вернулся к переписке.

— Не бойся меня, я не кусаюсь, — продолжала Лара. Антонио никогда не поверил бы, что жена его умеет так флиртовать, не читай он это своими собственными глазами. — Хотя нет, кусаюсь, но, уверяю тебя, это приятно.

— Может, сначала поиграем в слова?

— Может, сразу в предложения?

— Может, сходим сегодня куда-нибудь? Куда бы ты хотела?

— Ты мужчина, ты и решай.

— В тебя.

— Дерзко. Сегодня мне просто необходим мужчина.

— А я кто, по-твоему?

— Лично для меня ты на мужчину не тянешь.

— Почему?

— Потому что женат. Ответь мне, как

мужчина, на один простой вопрос: почему вы такие доверчивые?

— В каком смысле?

— Я вчера сказала своему просто назло, что у меня есть другой. Знаешь, какое было в доме землетрясение!

«Вот дает Лара, — улыбнулся экрану Антонио. — Землетрясение действительно было, только не по этому поводу».

— Не знаю, но, судя по реакции, предполагаю, что есть и другая.

«Вот козел», — подумал Антонио.

— Ты что, ревнуешь?

— Ревность — это часть женщины. Если она тебя не ревнует, значит, ревнует кого-то другого.

— А когда надоедает?

— Стервлю. Стервозность женщине так же необходима, как мужчине — харизма.

— По-моему, твоему сердцу не хватает любви.

— Да не только.

— Чего же еще?

— Дома... поэтому ему приходится стучаться в чужие двери.

— А чем занимается твой муж?

— Генеалогическими деревьями.

— Не страшно ему в этой чаще?

— Там можно собирать грибы. Знаешь, как ему легко дышится в таком лесу?

«Это она про мои командировки или про фэнтези?» — спрашивал себя Антонио.

— Главное, не увлечься и не потерять путь домой.

— Я тоже боюсь, как бы не наломал дров в чужих судьбах. Иногда мне кажется, он заблудился в этом лесу, в сучьях чужих биографий.

«Точно про командировки», — решил про себя Антонио.

Он перевел дух: понял, что все это — пустая виртуальная болтовня, за которой ничего не стоит. Единственное, что зацепило из этой пьесы, — знает он Лару плохо, точнее, совсем не знает, насколько она изощрена в фантазиях и общении. Выйдя из Сети, он включил телевизор и отвлекся от насущного. По «ящику» шла какая-то эротическая комедия. На экране мужчина погряз в ногах взрослой женщины, доставляя ей оральные ласки.

— Ну, как там? — стонала женщина.

— Темно. — Он поднял голову: — Я попытался поласкать клитор, ноль эмоций. Джойстик барахлит.

— Ты про свой или про мой?

— Я про твой.

— Может, старость?

— Моя или твоя?

— Моя.

— Нет уж, позволь взять эту миссию на себя.

— Хорошо, а что делать мне, когда часы постоянно тикают в одну сторону?

— Чтобы не стареть, надо ходить против часовой стрелки.

* * *

Снова утро началось с чего-то личного. Лежа в кровати, Лара слышала, как ругались соседи за стеной. Возможно, они так размножались или разминались перед трудовой средой, возможно, у них просто сломался телевизор и нечем больше было занять себя, возможно, кто-то из них проснулся неудовлетворенным. Неудовлетворенным собой, своим утром, своей второй половиной. Скорее всего, первое, но, как всегда, досталось именно той половине, на нее легче всего спустить всех собак или пар, за неимением домашних животных. Да, некоторым людям повезло, они могли себе позволить орать, как только что-то в их жизни начинало происходить не так и не с теми. Лара была из тех, кто терпеливо молчал.

Жизнь ее стала настолько спокойной и однообразной, что скоро она начала путать любовь и привязанность, вышитую узелками дежурных поцелуев, когда он приходил или уходил. Любовь же превращалась в ласковое утреннее нытье, когда Фортуна просила сварить кофе или исполнить другой пустяковый каприз. На самом деле ей нужен был совсем не кофе, но просьба полюбить ее вместо этого могла окончательно разрушить в Фортуне веру в настоящие чувства.

— Послушай анекдот, — заслонил Антонио разворотом газеты утро:

« — А вы кем работаете?

— Испытателем.

— Как интересно! Что испытываете?

— Оргазмы».

— Точно не про нас.

— А у нас что, по-другому?

— У нас телевизор. И вообще, разные мы с тобой.

— С чего ты взяла?

— Хотя бы с того, что ты можешь сопеть спокойно, когда у меня бессонница.

— Отчего бессонница? Попробуй настойку пустырника.

— Ты — моя настойка пустырника. Чем больше пью, тем больше пустоты от бесцельно прожитых лет. Я все чаще прихожу к выводу, что живу как-то невкусно, пресно, будто сижу на диете: этого нельзя, того не стоит, прочие заняты. В общем, не нравится мне эта кухня.

— Не нравится — научись готовить сама, — сложил Антонио газету, встал с кровати.

— Боюсь пересолить. Вся проблема в том, что у нас общие взгляды, но на разные вещи. Ты предлагаешь мне любовь, что уже прошла, я тебе — дружбу, которая бестолкова между бывшими.

— Может, сваришь кофе? — приняв упор лежа, начал отжиматься он от пола.

— Кофе? А свари-ка ты его себе сам! Мне надоела роль кофеварки.

— Что за капризы с утра? Мы же вчера только были счастливы, — закончил он, тяжело дыша.

— Тебе показалось. Это было твое счастье. Я же хочу быть счастливой по-своему, быть счастливой по-твоему у меня не получается.

— Успокойся, Лара! Что на тебя опять нашло? Ты как заноза в моей душе!

— Неужели решился избавиться от нее?

— Нет, тем более она уже прижилась.

— Да, и дает плоды, — встала Лара, вздохнув, с постели и подошла к кроватке, поправив подушку спящему в люльке человечку. Только это могло успокоить ее эмоциональный порыв, как-то пополнить недостаток солнца, помочь перейти от частного к объективному. Где-то она читала, что мозг всегда просыпается позже, чем тело. Проснется тело, а удовольствий ноль. Спрашивается, чего ради будили? Вот и начинает капризничать, пока мозг не возьмет власть в свои руки. Поэтому с утра просто необходима зарядка: некоторые воспринимают это буквально, другие, более счастливые, фигурально. «Трахнул бы он меня сейчас, и делу конец», — усмехнулась про себя Лара.

* * *

— Привет, извини, что поздно. Ты еще не спишь?

— Привет, Лара! Еще не с кем. Жду Марко с работы. Как ты? Судя по голосу в трубке, не очень. Вроде Новый год на носу. А ты? Что такая грустная, неудовлетворенная?

— Можно подумать, что твоя жизнь сплошной оргазм, — вдруг озлобилась, решив, что зря позвонила, Лара.

— Нет, не сплошной. Они как долгожданные письма — приходят внезапно, не успеешь прочесть — уже ждешь следующего. Давай колись, что случилось?

— Я даже не знаю, с чего начать.

— Ну хотя бы скажи мне: все живы?

— Да.

— Уже неплохо.

— Одиноко как-то.

— Не надо делать проблему из того, что тебе одиноко вечером. Сделай лучше чай. С ним всегда есть о чем поговорить.

— Ты не понимаешь. Все дома вроде, а одиноко. Старшая с Оскаром рассталась, вернулась обратно.

— Рассталась? Хотя этого следовало ожидать — такая разница в возрасте. Надоела ему игрушка.

— Да дело не в разнице. Фортуна ему изменила. Только я узнала это уже задним числом, после всех моих проклятий в его адрес. Теперь вот сижу анализирую.

— Ну, что я могу сказать? Анализы ни к черту. Значит, Фортуна нашла себе помоложе, это понятно, гормоны в таком возрасте требуют постоянного внимания, а не двух раз в неделю.

— Да ни черта ты не понимаешь. Тот тоже оказался не мальчик. Она училась у него фотографировать.

— Снял, значит, — робко пошутила София. — Мужику, конечно, сложно простить измену.

— А женщине что — легче, что ли?

— А женщине вовсе невозможно. Ты заварила себе кофе?

— Нет еще. Это еще не все. Теперь Кира к нему сбежала. К Оскару.

— Ты меня убила! Она же еще совсем юная. Сколько ей? — попыталась как-то отвлечься на цифры София.

— Девятнадцать.

— А ему сорок пять?

— А ему сорок пять.

— Шикарно. Что он за человек? И почему так упорно преследует вашу семью? Может быть, мстит за Фортуну?

— Ну это вряд ли. На мстителя он не тянет. Приятный, выглядит гораздо моложе своих лет. Волосы русые, густые и вьющиеся. Глаза зеленые, добрые, большие. Рост средний. Красивая открытая улыбка. Язык подвешен, будто он всю жизнь читал лекции по литературе на филфаке. Раньше у них с Антонио был совместный бизнес, но с тех пор, как все развалилось, работает тренером в одной тренинговой компании. Влюбчив.

— Дай мне его телефон.

— Хочешь познакомиться?

— Нет, я убью его собственными руками.

— Не надо.

— Как не надо? Вы что, там все с ума сошли? Вам что, мужиков мало? А что Антонио? Где этот тюфяк, он-то куда смотрит?

— Он был на вахте.

— На вахте. Знаю я эти вахты. Вроде деньги зарабатывать едут, на самом деле прячутся там от настоящей жизни. Деньги можно заработать и здесь, если захотеть.

— Он, похоже, уже смирился с судьбой. Все время в себе. Даже бровью не повел, когда узнал. В общем, прыгают дальше. Он избегает этой темы, уходит, видимо, и сам не знает, что предпринять: с одной стороны, Фортуну, конечно же, жалко, но с другой — Кира. Я его не трогаю, все-таки кормилец.

— Я не думаю, что ему все равно, похоже, он действительно не знает, что делать. Как сделать так, чтобы никто не пострадал. Слушай, давай выпьем кофе в городе, у меня есть для тебя подарок новогодний. Мне нужно тебя обнять, мне нужно тебя встряхнуть как-то, мне нужно видеть тебя настоящей женщиной, а не прокладкой для обстоятельств. Так что ты особо не зацикливайся и следи за собой, я проверю. Когда мне тяжело, я всегда себе говорю: «Жизни могут научить только те, кто не будет тебя жалеть».

* * *

Лара шла на встречу с Софией. Они договорились выпить кофе в центре города, в одном уютном гнезде. Всю дорогу она уже представляла их диалог, который все равно не сможет отразить и доли того, что происходит внутри, какая драма разыгралась в ее жизни, с взлетами ненасытной гордости и падениями собственного достоинства, лишь по каким-то невербальным признакам можно было понять, что Лара пережила, что она переживает до сих пор и, наверное, будет еще долго переживать. Не в ее принципах было жаловаться на судьбу. Она шла, неся гордо грудь и держа ровно спинку, заставляя оборачиваться мужчин.

— Черт, — зазвенел металл, не сумев воткнуться в каменный пол кафе.

— В обществе надо уметь сдерживать свои порывы, — рассмеялась Лара, которая успела уже скинуть пальто на свободный стул, поднимая с пола нож, оброненный Софией.

— Это сложно.

— Что именно?

— Взять себя в руки, когда мужчины пялятся на твои ноги.

— Девятнадцать окурков? — взглянула Лара мельком на пепельницу, стоявшую на столе. — Многовато для одного несостоявшегося свидания. Извини, задержалась на школьном собрании.

— Теперь ты понимаешь, что такое женщина без любви?

— То же самое, что мужчина без секса, — наконец села Лара за столик напротив Софии.

— Вот — золотые слова. Мужчины хотят одного.

— Ты хотела сказать, одну?

— Ну да, одну.

— Твоя задача — убедить, что этой единственной являешься именно ты.

— Знала бы ты, как мне хочется собрать все свои старые отношения, мелкие интрижки, случайные встречи и разменять на одну большую любовь.

— Если найдешь такой пункт обмена, дай мне знать, я бы тоже не отказалась, — улыбнулась Лара и задумалась. В душе она понимала, что все ее страдания от какой-то житейской необразованности, что давно пора научиться уходить первой, раньше, чем любовь. Она отчетливо помнила, что любовь — это самая настоящая шизофрения, потому что, пребывая в этом состоянии постоянно, несешь какой-то бред, настолько понятный тебе и настолько нелепый для окружающих. Только, как и всякая палка, эта тоже имела второй конец: любовь заканчивается там, где тебя начинают понимать.

— Что ты постоянно трогаешь свой телефон? — оборвала ее размышления София. — Хочешь обрадовать его звонком?

— Нет, растрогать.

— Рассуждаешь, будто вам по девятнадцать.

— Ага, фантазирую.

— Фантазировать можно на тему тех, кого плохо знаешь, а лучше даже — с кем не знаком. Со старыми мужьями или с бывшими это называется поддерживать отношения.

— А что с бывшими?

— Что-что... звонят. Я всегда их волновала и буду волновать, как море любви, в которое им больше никогда не окунуться.

— Да, близость, она как мороженое — сладкая, но пачкается, ходишь потом с липкими чувствами и боишься к кому-либо прикоснуться.

— Почему для женщины путь к близости всегда дальше, чем для мужчины?

— Потому что у всех женщин далеко идущие планы.

— Да, точно, я тоже думала: у меня с ним на одну ночь. Черт, затянулось на целую жизнь. Я, конечно, могла бы его полюбить, но он же женат. Теперь пребываю в состоянии постоянного психоанализа.

— А как же теория случайного секса, разработанная нами на третьем курсе, помнишь?

— Ну, конечно. С некоторых пор я не верю в случайные связи. Я не хочу, чтобы кто-то ковырялся во мне своим любопытным членом. Мое сердце не гостиница. Там нет номеров на ночь. Что-то печально мне сегодня.

— Это все осень.

— Да, безумие закончилось, море закончилось, закончилось даже солнце. Лета, как всегда, не хватило.

— Как обычно, не успеешь раздеться, как природе уже стыдно за тебя и она торопится прикрыть твою прекрасную наготу желтыми листьями. А как же Марко?

— Марко тоже закончился.

— Совсем?

— Не знаю.

— Тяжело тебе без него?

— Ощущаю себя змеей по весне, пытаюсь сбросить кожу вместе с его прикосновениями.

— Ну и как?

— Боюсь. Если сброшу, стану еще чувствительней, если оставлю — совсем бесчувственной к кому-либо.

— А как же твоя теория бессознательного?

— По Фрейду я уже пробовала, хочется по любви. Мне нравятся мужчины масштабные, не те, что воруют по-мелкому, на одну или пару ночей, а так, чтобы украли меня одним большим чувством.

— Ты до сих пор считаешь, что все зависит от мужчины?

— А ты считаешь, от женщины?

— Нет. Любовь не зависит ни от мужчины, ни от женщины. Независимость — ее сильная сторона.

— Вот и я говорю, после Марко кругом сплошные влюбленности. Только если влюбленность — это праздник, на который тебя пригласили, то любовь — это праздник внутри тебя. Вот я и хожу по праздникам, не могу определиться, потому что внутри его нет.

После этих слов телефон задрожал на столе. София посмотрела на экран:

— Можешь ты ответить, — она протянула Ларе трубку.

— А кто это?

— Понятия не имею. Дала одному телефон, теперь звонит постоянно.

— Зачем дала? — приложила она к уху незнакомца.

— Не волнуйся, только телефон.

— Алло... Ее нет, она вышла... Куда-куда... Из себя вышла... Конечно, вернется, как только вы перестанете ей звонить.

А если это тот самый, которого ты ищешь? Если это судьба?

— Судя по голосу — это не судьба, а ее произвол, на который меня бросили. Так и мучаешься: у одного голос не тот, у другого квартиры нет, третий женат, а с четвертым не о чем даже помолчать. Женихов достаточно, не знаю, которого выбрать.

— Ты рассуждаешь, будто собираешься голосовать на выборах.

— Именно. Жаль, что отменили графу «против всех».

— Если ты сомневаешься в своем избраннике, значит, не ты выбирала, а тебя.

— Скорее всего. Я уже такая взрослая, а разбираться в людях так и не научилась.

— Но с детьми в школе же у тебя получается, — захотелось как-то погладить подругу Ларе.

— Но то дети. Я все думаю, как научиться разбираться в людях?

— Методом тыка.

— Это больно.

— Это приятно, если быть разборчивой. Извини, я не тебя имела в виду.

— Я понимаю, о чем ты. И куда меня приведет эта постель?

— Будто ты не знаешь. Все постели ведут либо к размножению, либо к одиночеству. В зал-то еще ходишь?

— Само собой, — подняла руку и напрягла бицепс София, улыбнувшись.

— Я вижу, стройняшка. Ну и как там?

— Спортом пахнет. А мужчины еще менее решительные. Либо слишком сильно увлечены собой, либо слишком свободны в отношениях. Ты не знаешь, как мне надоели эти свободные отношения.

— Эти — это какие?

— Когда, как бы ты к человеку ни относилась, он тебе в любой момент может сказать: «Свободна!»

— Да ладно тебе, зато теперь у тебя есть сын, — сделала паузу Лара, внимательно рассматривая свою подругу, будто раньше ей не приходилось это делать, пребывая во власти мишуры тех комплиментов, которыми они осыпали друг друга. Она вдруг увидела ее, ждущую кого-то дома у окна. С фарфором, дымящимся в руке, теплым, как душа ее, кофе. Там за стеклом, столица, словно невеста, примеряла на себя белое платье первого снега, которое люди топтали. Как обычно, спешили. Ей, наблюдающей из-за стекла, было некуда. Кристаллы Сваровски катились один за другим по щекам: «Плачу, как идиотка. У меня же есть теперь сын», — подошла и обняла свой подарок, что складывал в комнате кубики, поцеловала.

— Мама, а кто эта тетя?

— Какая тетя?

— Та, у окна, которая так на тебя похожа и давно уже ждет кого-то.

— Лара, — вывела ее София из гипноза, — я тебе рассказываю, а ты совсем не слушаешь.

— Что? — очнулась Лара.

— Знаешь, что мне не нравится в некоторых мужчинах? Иногда смотрят так долго, так пронзительно, и ведь видят, что мы симпатичны друг другу настолько, что уже начинаем строить планы, не то чтобы замок, где можно лелеять свою распущенность, нет, хватило бы обычной отдельной двушки, так в этот момент он уходит, не сказав ни слова.

— Да что с тобой? — снова заметила София, что подруга ее не слушает.

— Не знаю, гложет что-то, а что — не могу понять. Какая-то дикая неудовлетворенность.

— Осенняя депрессия?

— Возможно, это тоже: природа, сбрасывая свой наряд, будто обнажает мои нервы. Вчера прочла, что депрессия лечится сексом. Как ты думаешь?

— Нет, сексом здесь не отделаешься, тебе нужно что-то более эффективное — влюбленность, например.

* * *

Интерьер этого кафе позабавил меня тем, что стены цвета крем-брюле были увешаны копиями старинных фото нашего города. Того самого давно несуществующего его вида, в котором он пребывал в пору становления и роста. Здания-призраки, снесенные, словно головы улиц, чьей-то властной рукой, сами улицы с конными повозками вместо автомобилей, с черно-белой суетой городской жизни. Ее создавали горожане, которые мало изменились, разве что одежда, лица их выглядели точно так же, как и сейчас, озабоченные все той же жаждой любви или наживы.

Большой зал столиков и диванчиков блестел вопросом: сколько женщин, отмороженных судьбами, заливают свою неопределенность пирожными и кофе? До встречи оставалось еще время, и, чтобы не терять, я решил убить его здесь каким-нибудь буше. Внутри кафе царил приятный дух из букета карамели, сливок и ванилина, единственное, что раздражало, — это радио, его было слишком, и дело не в музыке, звучащей из динамиков, а в безвкусных ведущих, которых можно было заткнуть разве что эклерами. Атмосфера, полная выпечки, кофе и женщин. Бросалось в глаза, что многие из них вышли выгулять свое одиночество. По обыкновению, они брали два пирожных — себе и ему. Одни медленно кромсали сладкое, прежде чем закинуть за створки губ, затем тщательно пережевывали, другие, напротив, ели жадно и быстро, глотая большими кусками. «Все как в сексе», — подумал я, замечая довольную тень удовлетворения на их лицах. Главное — результат. Меня отвлекла официантка:

— Что желаете?

— Мне, чтобы время быстрее шло.

— Может, вам лучше в бар?

— Я за рулем.

— Тогда могу предложить новинку — кекс «Ожидание».

— И чайник чая с бергамотом, — добавил я.

Я оставил ненадолго общество сладкоежек и посмотрел в окно, где сновали люди. Они все время жили для меня за окном моих зрачков, и каждое движение век, когда я моргал, как перезагрузка, но мир не менялся. Люди не останавливались, они так же активно рождались и умирали, как в какой-нибудь незамысловатой компьютерной игре. Многие из них не знали, для чего же они живут, остальные так и не узнали. Я знал, и «Ожидание» мне в этом смысле помогло. Наконец, Кира появилась в дверях, она быстро кинула сумку на диванчик за моим столом и поцеловала меня.

— Что ты такой задумчивый?

— Ищу смысл в жизни, — ответил я расплывчато.

— Ну и как?

— Его не было, пока не появилась ты.

— Трепач, — поцеловала она меня в губы.

— Разве ты не заметила? Теперь я полюбил просыпаться рано. Догадайся зачем? — заказал я официантке чай с эклерами.

— Чтобы горы свернуть на работе, — ответила мне Кира, скинув шарф и устроившись рядом.

— Нет.

— Чтобы вовремя выйти из дома и увидеть рассвет?

— Мимо. Все гораздо проще. Просто теперь я люблю обнаружить тебя, любимую женщину, рядом — изящную, голую, прежде чем не ускользнешь заваривать кофе. Если честно, я в растерянности: зачем я тебе?

— Я, словно кошка, принюхиваюсь к каждому твоему взгляду, к каждому твоему слову, пытаясь почувствовать, будет ли за ними настоящее лакомство — поступки, чтобы, наконец, понять: гулять мне по-прежнему самой по себе или же стать ручной и доверить эту миссию твоим рукам, — взяла она мою руку и вложила свои пальцы в мои, закрыв замок любви, в котором они пребывали уже несколько месяцев.

— Кира, Кирочка!

— Тише, — испуганно посмотрела Кира.

— Что же такое происходит со мной, — продолжил я на полтона ниже, — точнее, почему именно со мной это происходит? Почему ты не могла быть чьей-нибудь другой сестрой? Я все время задаю себе этот вопрос, способен ли я, имею ли я право, задушивший только что этими руками, — посмотрел я на свои пальцы, запачканные кремом «Ожидания», — одну любовь, посягать на другую?

— Считай, что тебе дали вторую попытку, — подала мне салфетку Кира. — Послушай меня: я влюбилась в твои руки задолго до того, как ты прикоснулся ко мне. Наблюдала, как они спокойно держали руль, когда ты вел машину, как уверенно разделывали мясо, когда ты готовил жаркое, как нежно вели за талию сигарету, которая, казалось, начинала тлеть сама собой от их страсти. Сильные, исписанные реками вен, настоящие мужские руки. И когда я представляла, что эти реки потекут по моему телу, мне становилось не по себе, настолько безумно хорошо, что сотни мурашек тут же выбегали спросить, что случилось?

— Зачем я тебе? Я же для тебя такой старый. — Нам принесли заказ.

— Перестань. Тебе не идет торговаться. Настоящие чувства никогда не смогут жить по рыночным отношениям. Я люблю тебя, и никакие другие купюры неплатежеспособны. Если говорить о возрасте, как о времени, то ты не смеешь его упускать, сколько бы тебе ни было.

«Вот за что! Вот за что я ее полюбил, — отвечал я сам себе, — за душу, за ту самую редкую человеческую душу, которой было так много, что, как бы далеко я ни уходил, все равно оказался бы в ее теплых родных объятиях».

— Черт, иногда мне кажется, что не ты, а я, умудренная любовным опытом женщина, пытаюсь тебе что-то втолковать, — слегка нахмурились ее брови.

— Нет, ты молода и красива, и с этим не поспоришь. И сейчас я бы очень хотел убрать с твоего лица эту грусть и озабоченность.

— Разве я против? Я могу быть какой угодно: веселой, грустной, печальной, сумасшедшей. Не надо обращать внимание, его надо уделять.

— Улыбнись! — разлил я чай, взял инициативу в свои руки вместе со своим эклером и протянул ей.

— Зачем? — откусила она.

— Ты же уникальна. А грустные все на одно лицо, — откусил я вслед за ней свое пирожное.

— Хорошо, — так и не удалось ей улыбнуться. — Чем займемся вечером?

— А что, любовь еще не пришла?

— Пришла и ушла, разве ты не заметил? Она была в образе официантки.

— Почему ушла?

— Она еще вернется... за счетом.

— В таком случае это будет брак по расчету.

— Так ты согласен прожить со мной всю свою жизнь? — ущипнула меня она за предыдущую реплику.

— Что, я похож на сумасшедшего?

— Нет, но никогда не поздно им стать.

* * *

По возвращении из командировки несколько дней уходило на акклиматизацию, когда Антонио нужно было не только встроиться в уклад своего дома, но и, соскучившись по городу, поправить вкус к прекрасному, утерянный в суровых условиях тайги среди ее деревянного зодчества, угрюмого могущества и бесящей бесконечности. Он бродил по старым улицам в центре города в одиночестве, так как Лара обычно была занята какой-то бытовой рутиной, по крайней мере, на это она ссылалась, когда он предлагал ей составить ему компанию. Маршрут был знакомый: Сенная, переулок Гривцова, Исаакиевский собор, далее Антонио выходит через Дворцовую площадь к своим любимым атлантам, которые, по его глубокому убеждению, несомненно, жили когда-то во весь свой гигантский рост в затерянной Атлантиде.

По дороге Антонио отмечал для себя, что кафе и рестораны постепенно вытесняли магазины, а это, в свою очередь, означало не только то, что кормить людей было выгоднее, чем одевать, но и то, что у людей появился выбор: где пить, что пить, с кем пить, — вспомнил он знаменитое четверостишье Омара Хайяма.

Антонио действительно было лучше одному. В одиночестве он сам себе мог задать вопрос и сам на него ответить так, как ему было удобно и понятно. Антонио любил открывать для себя новые заведения, скромно заказывал кофе. Этого ему было достаточно, чтобы понять, стоит ли здесь обедать. В редких случаях он брал еще коньяк, считая употребление его в кафе большой роскошью и пустой тратой денег. Все еще переживая приятный вкус коньяка во рту, сунув руки в карманы своего стального плаща, он шел небольшой улочкой и любовался старинной лепниной в образах бородатых мужей, миловидных фемин и крылатых младенцев, награждая ее участников именами героев из своих книг. Ему нравилась эта игра, которую он изобрел для себя и тех людей, с которыми тесно общался. Правда, те об этом даже не догадывались. Посредством фэнтези Антонио открыл для себя один очень важный закон: все, чего не хватает в жизни — друзей, любовниц, врагов, — можно придумать.

На площади, куда вскоре его вынесло благодаря итальянским архитекторам первой половины XVIII века, его привлекли красные бабочки, слетевшиеся на белое пальто одной симпатичной девушки, что позировала кому-то, широко улыбаясь, соперничая в этом аспекте с площадью. «Ее белые зубы могли бы служить фотовспышкой», — усмехнулся Антонио, заодно вспомнив, что хорошо бы навестить стоматолога. Так и не спрятав улыбку, девушка вместе с вышитыми на ее пальто бабочками подбежала к фотографу. Жадно стала рассматривать, что из нее получилось, поцеловала своего мужчину в щеку. Здесь Антонио обомлел: ее кавалером был Оскар! Пока, оцепеневший, он раздумывал, как на это реагировать, девушка взяла под руку Оскара и стала уводить все дальше от удивления Антонио. В этот момент будто бомба попала в стоящий на рейде роскошный стальной корабль. Антонио как-то вдруг сник, ссутулился, ему стало нестерпимо больно от этого ранения.

* * *

На высоте семисот метров, когда набегающая земля начала покалывать различимыми травинками, он потянул за кольцо. Вытяжной парашют взмыл вверх, Оскар уже ждал тот мягкий толчок, означающий, что скорость падения резко упала и можно наслаждаться видами. Но в этот раз вытяжной, попав в поток, не смог расчековать клапаны ранца и вытащить за собою медузу (основную часть парашюта), такое могло произойти только при неправильной укладке парашюта. Оскар поднял голову вверх, где ветер терзал тоскливую тряпочку материи вытяжного парашюта, которая должна была раскрыться в спасительный купол.

«Что за дерьмо? Мы же вместе упаковывали парашют, и инструктор сам лично проверил его перед прыжком. Антонио, сукин ты сын!» — мелькнуло у него в голове. Оскар знал назубок дальнейшие свои действия согласно инструкции: в случае если основной парашют не раскрылся, надо было от него избавляться. Но этот вопрос — неужели Антонио? — и страх не давали сосредоточиться. В голове мелькнуло, что Антонио вернулся в клуб накануне, после того как они уже приготовили парашюты к прыжку, сославшись на то, что забыл там ключи от квартиры.

Сердце, которое только что стучало гулко, словно хронометр, вдруг побежало секундной стрелкой к финишной черте. Так и не сумев раскрыть купол, Оскар достал нож и стал им остервенело рвать стропы парашюта, постоянно поглядывая вниз, на землю. Ее становилось все больше, солнце все ярче, крик Фортуны все громче. Понимая, что уже не успевает, и окончательно растерявшись, Оскар отчаянно дернул чеку запаски. Тот вспорхнул и тут же спутался с основным в одну роковую связь.

Конец

Литературно-художественное издание
әдеби-көркем басылым

АНТОЛОГИЯ ЛЮБВИ

Валиуллин Ринат Рифович

В КАЖДОМ МОЛЧАНИИ СВОЯ ИСТЕРИКА

Роман

Издан в авторской редакции
Редакционно-издательская группа «Жанровая литература»

Зав. группой *М. Сергеева*
Руководитель направления *Л. Захарова*
Ответственный редактор *Ю. Надточей*
Технический редактор *Г. Этманова*
Компьютерная верстка *З. Полосухиной*
Корректор *Е. Сырцова*

Общероссийский классификатор продукции ОК-034-2014 (КПЕС 2008);
58.11.1 — книги, брошюры печатные

Произведено в Российской Федерации
Изготовлено в 2019 г.
Изготовитель — ООО «Издательство АСТ»
129085, г. Москва, Звёздный бульвар, дом 21, строение 1, комната 705, пом. I, 7 этаж.
Наш электронный адрес: **www.ast.ru**
E-mail: zhanry@ast.ru

Баспа Аста» деген ООО
129085, г. Мәскеу, Жұлдызды гүлзар, д. 21, 1 құрылым, 705 бөлме, пом. 1, 7-қабат
Біздің электрондық мекенжаймыз : www.ast.ru
E-mail: zhanry @ast.ru
Интернет-магазин: www.book24.kz
Интернет-дүкен: www.book24.kz
Импортер в Республику Казахстан и Представитель по приему претензий в Республике Казахстан — ТОО РДЦ Алматы, г. Алматы.
Қазақстан Республикасына импорттаушы және
Қазақстан Республикасында наразылықтарды қабылдау
бойынша өкіл -«РДЦ-Алматы» ЖШС, Алматы
қ.,Домбровский көш., 3«а», Б литерi офис 1. Тел.: 8(727) 2 51 59 90,91 ,
факс: 8 (727) 251 59 92 ішкі 107;
E-mail: RDC-Almaty@eksmo.kz , www.book24.kz Тауар белгісі: «АСТ»
Өндірілген жылы: 2019
Өнімнің жарамдылық; мерзімі шектелмеген.
Өндірген мемлекет: Ресей

Подписано в печать 17.06.2019. Формат 84x108 1/32.
Гарнитура «Baltica». Печать офсетная. Усл. печ. л. 16,8.
Тираж 5000 экз. Заказ № 3061.

Отпечатано в ОАО «Можайский полиграфический комбинат».
143200, Россия, г. Можайск, ул. Мира, 93.
www.oaompk.ru, тел.: (495) 745-84-28, (49638) 20-685

ISBN 978-5-17-100040-0